CB001077

coleção fábula

ATRAVÉS DO ESPELHO E O QUE ALICE ENCONTROU LÁ.

ATRAVÉS DO ESPELHO E O QUE

ALICE

ENCONTROU LÁ.

LEWIS CARROLL.

COM CINQUENTA ILUSTRAÇÕES DE
JOHN TENNIEL.

TRADUÇÃO
SEBASTIÃO UCHOA LEITE.

COLEÇÃO FÁBULA
EDITORA 34
SÃO PAULO — 2015.

Criança de fronte pura e luminosa
    E olhos sonhadores, espantados:
Embora escorram as horas ociosas
    E meia vida nos torne separados,
Teu rosto —— é certo —— acolherá risonho
    Esta oferta de amor: um conto-sonho.

Tua face ensolarada não mais vejo
    Nem mais escuto o teu riso argentino
E minha imagem não terá, prevejo,
    Lugar em teu futuro cristalino.
Basta-me só que não deixes —— proponho ——
    De ouvir este meu conto-sonho.

Conto que outrora começou, num dia
    Em que o sol esplendia no verão
E acompanhava, simples melodia,
    O ritmo dos remos: seu refrão.
Eco que na memória não esmorece
    Embora o ciúme do tempo diga: "esquece".

Escuta, antes que voz de acento amargo
    Venha trazer notícia dolorosa,
Convocando para o final letargo
    Uma donzela melancólica.
Não somos mais que crianças, querida,
    Agitadas na hora de dormir.

Lá fora, a neve gelada e ofuscante,
    Das borrascas a fúria e o capricho.
Dentro, a lareira, o fulgor radiante,
    Do júbilo da infância ninho e nicho.
Aqui te prendem essas mágicas vozes:
    Não ouvirás esses ventos velozes.

E embora se ouça a sombra de um suspiro
A estremecer no meio dessa estória,
Pelos "dias felizes" consumidos
E do verão a esvaecida glória,
Turvar não quero, com hálito enfadonho,
Todo o prazer deste conto-sonho.

SUMÁRIO.

PREFÁCIO DO AUTOR.

Como o jogo de xadrez que se apresenta na página seguinte confundiu alguns leitores, será bom explicar que está corretamente arquitetado no que se refere aos *lances*. Talvez a *alternância* entre Vermelhas e Brancas, nos movimentos, não tenha sido estritamente observada, de maneira ideal, e o "roque" das três Rainhas é apenas um modo de dizer que elas entraram no palácio. Mas o "xeque" ao Rei Branco no sexto lance, a captura do Cavaleiro Vermelho no sétimo e o "xeque-mate" final ao Rei Vermelho deverão ser considerados, por qualquer um que se dê ao trabalho de colocar as peças e jogar os lances conforme são indicados, como estando em perfeito acordo com as regras do jogo.

DRAMATIS PERSONÆ.

(Tal como dispostas antes do começo da partida.)

BRANCO.

PEÇAS.	PEÕES.
Tweedledee	Margarida.
Unicórnio	Hagar.
Ovelha	Ostra.
Rainha Branca	Lily.
Rei Branco	Cervo.
Velho	Ostra.
Cavaleiro Branco . . .	Hatta.
Tweedledum	Margarida.

VERMELHO.

PEÕES.	PEÇAS.
Margarida	Humpty Dumpty.
Mensageiro	Carpinteiro.
Ostra	Morsa.
Lírio-tigrino	Rainha Vermelha.
Rosa	Rei Vermelho.
Ostra	Corvo.
Rã	Cavaleiro Vermelho.
Margarida	Leão

O Peão Branco (Alice) joga e vence em onze lances.

1. Alice encontra a Rainha Vermelha

2. Alice atravessa (por trem) a Terceira Casa da Rainha e chega à Quarta (*Tweedledum e Tweedledee*)

3. Alice encontra a Rainha Branca (*e o xale*)

4. Alice entra na Quinta Casa (*loja, rio, loja*) da Rainha

5. Alice passa à Sexta Casa da Rainha (*Humpty Dumpty*)

6. Alice passa à Sétima Casa (*floresta*)

7. O Cavaleiro Branco toma o Cavaleiro Vermelho

8. Alice passa à Oitava Casa da Rainha (*coroação*)

9. Alice torna-se Rainha

10. Alice roca (*banquete*)

11. Alice toma a Rainha e vence

1. A Rainha Vermelha se dirige à Quarta Casa da Torre do Rei

2. A Rainha Branca (*atrás do xale*) passa à Quarta Casa do Bispo da Rainha

3. A Rainha Branca passa à Quinta Casa do Bispo da Rainha (*transforma-se em ovelha*)

4. A Rainha Branca passa à Oitava Casa do Bispo do Rei (*deixa o ovo na prateleira*)

5. A Rainha Branca passa à Oitava Casa do Bispo da Rainha (*fugindo do Cavaleiro Vermelho*)

6. O Cavaleiro Vermelho passa à Segunda Casa do Rei (*xeque*)

7. O Cavaleiro Branco passa à Quinta Casa do Bispo do Rei

8. A Rainha Vermelha passa à Casa do Rei (*exame*)

9. As Rainhas rocam

10. A Rainha Branca passa à Sexta Casa da Torre da Rainha (*sopa*)

CAPÍTULO I.

A CASA DO ESPELHO.

UMA COISA era certa: a gatinha *branca* não teve nada com isso, a culpa toda foi só da gatinha preta. Pois a gatinha branca sofria uma lavagem em regra pela velha bichana, nos últimos quinze minutos (e aguentava muito bem, pelo visto). Assim, está se vendo que ela *não podia* ter posto a pata no malfeito.

O modo como Dinah lavava a cara dos filhotes era este: primeiro segurava o pobre pela orelha com uma pata; depois, com a outra pata, esfregava-lhe a cara toda no sentido contrário, começando pelo nariz. E agora mesmo, como já disse, ela estava de mãos à obra com a gatinha branca, que jazia bem quieta e arriscava de vez em quando um rom-rom——sem dúvida sentindo que tudo aquilo era para o seu bem.

Mas a lavagem da gatinha preta terminara muito antes, no começo da tarde. Por isso, enquanto Alice se enroscava no canto de uma grande poltrona, meio falando a si mesma e meio adormecendo, a gatinha descobrira um jogo esplêndido com o novelo de lã que Alice esteve tentando enrolar. Ela rolava o novelo de um lado para o outro, até que este se desfez de novo; e ali estava, espalhado sobre o tapete, cheio de nós e emaranhados, com a gatinha girando no meio em busca de sua própria cauda.

——Ó sua pestinha, sua coisinha ruim!——gritou Alice, pegando a gatinha e lhe dando um pequeno beijo, para que ela entendesse que caíra em desgraça.——Realmente, Dinah devia ter te ensinado a se comportar melhor! Você *devia*, Dinah, você sabe que devia!—— acrescentou, olhando reprovadoramente a velha bichana e falando com a voz mais rabugenta que podia. Depois, escalou outra vez a grande poltrona, carregando consigo a gatinha e os fios de lã, que começou a enrolar outra vez. Mas não muito depressa, pois falava o tempo todo, ora para a gatinha, ora para si mesma. Kitty sentou-se muito gravemente nos joelhos dela, fingindo estar interessada no progresso da operação, aqui e ali estirando uma pata e tocando de leve o novelo, como se ficasse feliz de ajudar, se pudesse.

——Sabes que dia será amanhã, Kitty?——Alice começou.—— Você teria um palpite se tivesse estado na janela comigo. Mas só que Dinah estava te limpando e por isso você não podia. Estive olhando os garotos juntando gravetos para a fogueira——e precisa de um bocado de gravetos, Kitty! Mas ficou tão frio e nevava tanto que eles desistiram. Não faz mal, Kitty, amanhã vamos sair e ver a fogueira.

Nesse ponto, Alice enrolou dois ou três fios de lã em torno do pescoço da gatinha, só pra ver como ela ficava assim: isso provocou uma barafunda, caindo o novelo no chão outra vez, enquanto metros e mais metros de lã se desenrolavam de novo.

——Sabe, Kitty, eu fiquei com tanta raiva——continuou Alice assim que estavam confortavelmente instaladas outra vez——quando vi todo o estrago que você estava fazendo. Quase abri a janela e joguei você lá na neve! E você merecia isso, sua pestezinha adorável! Que é que tens a dizer a teu favor? E agora, não me interrompa!——prosseguiu ela com um dedo em riste.——Vou te dizer todas as tuas culpas. Número um: você chiou duas vezes enquanto Dinah estava te lavando a cara hoje de manhã. Não venha me negar isso, Kitty, eu ouvi! Que é que você está dizendo? (Fingindo que a gatinha estava falando.) A pata dela entrou dentro do teu olho? Ah, bem, mas foi por *sua* culpa, porque ficou com os olhos abertos. Se estivesses com eles bem apertados, isso não teria acontecido. E agora, nada de outras desculpas, ouça o resto! Número dois: você puxou Floco de Neve pela cauda exatamente quando eu botei a tigela de leite diante dela! O quê? Você estava com sede, é? Como é que você sabe que ela não estava com sede também? E agora, número três: você desenrolou todo o novelo de lã enquanto eu estava distraída!

——São três malfeitos, Kitty, e você não foi castigada por nenhum deles ainda. Estou juntando todos os seus castigos para a quarta-feira que vem. Imagine se tivessem juntado todos os *meus* castigos!——ela continuou, falando mais para si mesma do que para a gatinha.——Que *fariam* eles no fim de um ano? Eu iria pra cadeia, acho, quando chegasse o dia. Ou——deixe ver——imagine se cada castigo fosse ficar sem o jantar: então, quando chegasse esse dia malfadado eu ficaria sem cinquenta jantares de uma vez só! Bom, não ligo *muito* pra isso. É melhor ficar sem os jantares do que comê-los todos!

——Estás ouvindo, Kitty, a neve batendo nas vidraças? Como é bonito e que som tão macio! Parece como se fosse alguém beijando a janela do lado de fora. Será que a neve *ama* as árvores e a campina e por isso as beija assim, de mansinho? E depois, sabes, cobre elas com o seu manto branco, agasalhando bem. E talvez lhes diga "durmam, queridas, até que o verão venha de novo." E quando elas acordam no verão, Kitty, vestem-se todas de verde e dançam sempre que o vento sopra. Ah, é muito bonito!——Alice quase gritou e bateu palmas, soltando o novelo de lã.——E eu *queria tanto* que fosse verdade! Tenho certeza que os bosques parecem sonolentos no outono, quando as folhas começam a ficar marrons.

——Kitty, você sabe jogar xadrez? Não, não ria, minha querida, estou falando sério. Porque, quando nós estávamos jogando há pouquinho, você olhava como se estivesse entendendo. E quando eu disse "xeque", você fez um rom-rom. Foi um lindo xeque, Kitty, e eu podia ter vencido, se não fosse esse cavalo nojento que se intrometeu nas minhas peças. Kitty, querida, vamos fazer de conta... ——e aqui eu gostaria de lhes dizer a metade das coisas que Alice costumava falar, começando com a sua frase favorita, "Vamos fazer de conta". Ela tivera enorme discussão com a irmã no dia anterior, tudo porque Alice começou a dizer "Vamos fazer de conta que somos reis e rainhas". E a irmã, que gostava de ser exata, argumentou que não podia ser, pois elas eram somente duas. Alice foi então forçada a improvisar:

——Bom, *você* pode ser um deles, então, e *eu* serei todos os outros.

E certa vez ela chegou a assustar sua velha ama, gritando-lhe de repente ao pé do ouvido:

——Ama! Vamos fazer de conta que sou uma hiena faminta e você é uma carcaça!

Mas isso está nos desviando do discurso de Alice para a gatinha.

——Vamos fazer de conta que você é a Rainha Vermelha, Kitty. Sabe, se você se sentar e cruzar os braços, vai ficar igualzinha a ela, eu acho. Vamos experimentar, querida——e Alice retirou a Rainha Vermelha do tabuleiro e colocou-a diante da gatinha como um modelo a ser imitado. Entretanto, a coisa não funcionou, sobretudo, explicou Alice, porque a gatinha não queria cruzar direito os braços. Assim, para castigá-la, suspendeu-a diante do espelho, para que a gatinha mesma visse como era rabugenta.——E se você não se emendar já——acrescentou——atiro você pra dentro da Casa do Espelho. Que é que você acha *disso*?

——E agora, Kitty, se você ficar quietinha e me escutar e não falar tanto, eu lhe direi tudo que penso sobre a Casa do Espelho. Em primeiro lugar, existe a sala que a gente vê do outro lado do

espelho——é igualzinha à nossa sala de visitas, só que está tudo ao contrário. Posso ver tudo quando subo em cima de uma cadeira, tudo, fora aquele pedaço que está por trás da lareira. Ah, queria tanto poder ver *aquele* canto! Só queria saber se eles acendem o fogo no inverno: nunca se *pode* ter certeza, você sabe, a não ser quando sai fumaça do nosso fogo, e então sai fumaça naquela sala também——mas isso pode ser só fingimento, só para parecer que eles também acendem o fogo. Bom, os livros são mais ou menos parecidos com os nossos, só que as palavras estão ao contrário. Sei disso porque uma vez levantei um livro diante do espelho e eles levantaram um também na outra sala.

——Gostarias de viver na Casa do Espelho, Kitty? Será que lá eles também te dariam leite? Talvez o leite do espelho não seja lá muito bom de se beber. Mas, oh Kitty, dessa vez chegamos até o corredor! Pode-se ver uma *pontinha* do corredor da Casa do Espelho, se deixarmos bem aberta a porta da nossa sala de visita: e é igualzinho ao nosso corredor até onde se vê, só que mais adiante, você sabe, pode ser completamente diferente. Oh, Kitty, que bom seria atravessar para dentro da Casa do Espelho! Tenho certeza de que existem coisas lindas lá dentro. Vamos fazer de conta que existe uma maneira de atravessar, Kitty. Imagine que o espelho tenha ficado todo macio como gaze, e assim se pode atravessá-lo. Ora essa, ele está se transformando numa espécie de névoa, juro! Seria bem fácil atravessar…

Ela estava trepada na chaminé enquanto dizia isso, embora nem soubesse como tinha ido parar ali. E, de fato, o espelho *estava* começando a dissolver-se, como se fosse uma brilhante névoa prateada.

No momento seguinte Alice passava através do espelho e saltava de leve no chão da Casa do Espelho. A primeira coisa que fez foi olhar se tinha fogo na lareira e ficou muito satisfeita de ver que tinha fogo de verdade, tão resplandecente quanto o do outro lado. "Assim ficarei tão quentinha aqui como na minha antiga sala", pensou Alice, "e na verdade fico até mais aquecida, porque não vai ter ninguém aqui pra me ralhar e tirar de junto do fogo. Ai que engraçado, quando me virem aqui do outro lado e não conseguirem me pegar."

Começou então a olhar em volta e notou que tudo que podia ser visto de lá da velha sala era muito comum e sem interesse, mas que o resto era o mais diferente possível. Por exemplo, os quadros na parede perto do fogo pareciam ser todos vivos e o próprio relógio da lareira (vocês sabem: do outro lado do espelho só se podia ver as costas dele) tinha a cara de um homenzinho com um arreganho sorridente.

"Esta sala não está tão bem arrumada como a outra", pensou Alice, observando várias peças de xadrez jogadas no meio das cinzas. Mas logo depois, com um pequeno "Oh!" de surpresa, ela se abaixou, ficando de quatro para observar melhor. As figurinhas do xadrez estavam andando na sala, duas a duas!

"Ali estão o Rei Vermelho e a Rainha Vermelha", murmurou Alice (bem baixo, com medo de assustá-los), "e ali estão o Rei Branco e a Rainha Branca, sentados na ponta da pá de lareira——e cá estão duas Torres andando de braços dados. Acho que eles não

podem me ouvir", continuou ela, baixando ainda mais a cabeça, "e estou quase certa de que não podem me ver. Sinto-me como se fosse invisível…". Nesse momento ouviu-se um rangido na mesa atrás de Alice. Ela virou a cabeça a tempo de ver um dos Peões Brancos dar um tombo e ficar esperneando: observou-o com grande curiosidade para ver o que ia acontecer depois.

——É a voz da minha filha!——gritou a Rainha Branca e arrancou tão violentamente que jogou o Rei Branco no meio das cinzas. ——Minha preciosa Lily! Minha gatinha imperial!——e começou a escalar freneticamente o guarda-fogo da lareira.

——Baboseira imperial!——resmungou o Rei, esfregando o nariz machucado pela queda. Tinha certa razão de ficar *um pouco* aborrecido, pois estava coberto de cinzas dos pés à cabeça. Alice estava ansiosa de ser prestativa e, enquanto a pobre Lily estava a ponto de ter uma convulsão, ela impetuosamente levantou a Rainha e colocou-a na mesa aos pés da ruidosa filhinha.

A Rainha sentou-se ofegante: a meteórica viagem pelo ar tirou-lhe completamente a respiração e por um ou dois minutos não podia fazer nada exceto acalentar em silêncio a pequena Lily. Assim que recobrou um pouco o fôlego, gritou para o Rei Branco, sentado taciturnamente entre as cinzas:

——Cuidado com o vulcão!

——Que vulcão?——perguntou o Rei, olhando ansiosamente para o fogo, como se pensasse ser o lugar mais provável de se achar um vulcão.

——Ele-me-soprou-para-o-ar——, arquejou a Rainha, ainda um pouco sem fôlego.——Procure subir…normalmente…não se deixe soprar.

Alice observou o Rei Branco enquanto ele subia penosamente, até dizer por fim:

——Nesse passo você vai levar horas pra chegar em cima da mesa. É melhor que eu dê uma ajudinha, não acha?——mas o Rei nem notou a pergunta: estava claro que ele nem podia ouvi-la nem vê-la.

Alice segurou-o muito delicadamente e levantou-o bem mais devagar do que fizera com a Rainha, a fim de não retirar-lhe o fô-

lego: mas, antes de colocá-lo em cima da mesa, pensou que podia espaná-lo um pouco…ele estava tão coberto de cinzas.

Ela disse depois que jamais vira em toda a sua vida uma cara como a que o rei fez, quando se viu suspenso no ar por uma mão invisível e sendo espanado: estava atônito demais para gritar, mas seus olhos e sua boca se escancaravam cada vez mais e ficavam cada vez mais redondos. Alice fremia tanto de riso que quase o deixou cair no chão.

——Ah, *por favor,* não faça tanta careta assim, meu caro!—— exclamou, esquecendo-se inteiramente de que o Rei não podia ouvi-la.—— Você me faz rir tanto que não consigo segurá-lo. E não abra a boca desse jeito! Senão as cinzas vão entrar todinhas lá dentro. Bom, acho que você já está bem limpo——concluiu, enquanto alisava o cabelo dele e depositava-o cuidadosamente sobre a mesa, perto da Rainha.

O Rei imediatamente caiu de costas e ficou perfeitamente imóvel. Alice, alarmada com o que pudesse ter feito, pôs-se a procurar por ali um pouco de água para jogar em cima dele. Mas não pôde achar nada além de um tinteiro e, quando voltava com esse objeto, viu que o Rei tinha voltado a si. Ele e a Rainha estavam conversando em um sussurro assustado——tão baixo, que Alice mal podia ouvir o que estavam dizendo.

O Rei dizia:

——Esteja certa, minha cara, gelei até à ponta das minhas suíças!

E a Rainha replicava:

——Mas você nunca usou suíças.

——O horror daquele momento——continuou o Rei——eu jamais, *jamais* poderei esquecer!

——Mas esquecerá, apesar de tudo——observou a Rainha——, a não ser que faça uma anotação do caso.

Alice olhou com grande curiosidade enquanto o Rei tirava um enorme caderno de notas do bolso e começava a escrever. Uma súbita ideia lhe ocorreu: segurou a extremidade do lápis, que ultrapassava um pouco o ombro do rei e pôs-se a escrever por ele.

O pobre Rei ficou ao mesmo tempo perplexo e infeliz, e lutou durante alguns instantes com o lápis sem dizer uma palavra. Mas Alice era mais forte e ele finalmente queixou-se, ofegante:

——Minha querida, preciso de um lápis mais fino do que este. Não consigo controlá-lo, escreve uma porção de coisas que eu não pretendia…

——Que espécie de coisas?——disse a Rainha, olhando por cima do livro (no qual Alice tinha escrito "O Cavaleiro Branco desliza pelo atiçador. Seu equilíbrio não é dos melhores").——Mas isso não é um relato do que *você* sentiu!

Havia um livro em cima da mesa perto de Alice, e enquanto observava o Rei Branco (pois estava ainda um tanto temerosa de que ele desmaiasse outra vez e conservava sempre à mão o tinteiro para essa eventualidade), folheou-o um pouco, procurando algo que pudesse ler, "pois está escrito em alguma língua que não conheço", dizia para si mesma.

Era qualquer coisa assim:

JAGUADARTE

Era brilux. As lesmolisas touvas
Roldavam e relviam nos gramilvos.
Estavam mimsicais as pintalouvas
E os momirratos davam grilvos.

Contemplou intrigada essas linhas durante algum tempo, até que uma ideia luminosa lhe ocorreu: "É claro, só pode ser, é um livro do Espelho! Se eu colocá-lo diante do espelho as palavras vão ficar na ordem certa outra vez."

E foi este o poema que Alice leu:

JAGUADARTE

Era briluz. As lesmolisas touvas
    Roldavam e relviam nos gramilvos.
Estavam mimsicais as pintalouvas
    E os momirratos davam grilvos.

"Foge do Jaguadarte, o que não morre!
    Garra que agarra, bocarra que urra!
Foge da ave Felfel, meu filho, e corre
    Do frumioso Babassurra!"

Ele arrancou sua espada vorpal
    E foi atrás do inimigo do Homundo.
Na árvore Tamtam ele afinal
    Parou um dia sonilundo.

E enquanto estava em sussustada sesta
    Chegou o Jaguadarte, olho de fogo,
Sorrelfiflando através da floresta,
    E borbulia um riso louco!

Um, dois! Um, dois! Sua espada mavorta
    Vai-vem, vem-vai, para trás, para diante!
Cabeça fere, corta e, fera morta,
    Ei-lo que volta galunfante.

"Pois então tu mataste o Jaguadarte!
    Vem aos meus braços, homenino meu!
Oh dia fremular! Bravooh! Bravarte!",
    Ele se ria jubileu.

Era briluz. As lesmolisas touvas
    Roldavam e relviam nos gramilvos.
Estavam mimsicais as pintalouvas
    E os momirratos davam grilvos.

"Parece muito bonito", disse consigo quando terminou de ler, "mas é *um pouquinho* difícil de entender!" (Como se vê, ela não queria admitir nem para si mesma que não tinha entendido nada.) "Ele até que me encheu a cabeça de ideias——só não sei muito bem que tipo de ideia! Seja como for, *alguém* matou *alguma coisa*, pelo menos isto está claro…"

"Mas, oh!", pensou Alice saltando subitamente, "se eu não me apressar mais um pouco, termino voltando para o outro lado do Espelho sem ter visto como é o resto da casa! Vamos primeiro olhar como é o jardim!" Logo depois estava fora da sala e descia correndo as escadas da casa. Não era propriamente correndo, mas uma nova invenção para descer as escadas fácil e rapidamente, como dizia Alice para si mesma. Ela simplesmente colocava a ponta dos dedos no corrimão e deslizava suave sem mesmo tocar os degraus com os pés. Ainda flutuando, atravessou o vestíbulo e teria atravessado diretamente a porta, do mesmo jeito, se não tivesse esbarrado no umbral. Estava um pouco tonta de tanto flutuar, e por isso ficou satisfeita de ver-se andando de maneira normal outra vez.

CAPÍTULO II.

O JARDIM DAS FLORES VIVAS.

"Eu podia ver bem melhor o jardim", disse Alice a si mesma, "se pudesse subir no topo daquele morro: e aqui está um caminho que vai direto até lá... ou pelo menos, não, não é tão direto assim..." (depois de caminhar alguns metros pela trilha, dobrando em algumas esquinas bruscas), "mas acho que afinal chego lá. É esquisito como esse caminho se enrosca. Parece mais um saca-rolhas do que um caminho! Bom, por *este* lado aqui eu chego ao morro, acho... não, não vai! Vai direto de volta para a casa. Já que é assim, vou tentar em sentido contrário."

E assim fez: andou de cima para baixo, deu voltas e mais voltas, mas sempre estava retornando para a casa, fizesse o que fizesse. E aconteceu, na verdade, que dobrando uma esquina com mais rapidez, não conseguiu evitar um esbarro na casa.

——Não adianta insistir nisso——Alice falava com a casa e fingia estar discutindo com ela.——Eu *não* vou entrar ainda, não vou não. Sei que teria de atravessar o espelho outra vez e voltar à minha velha sala. E adeus minhas aventuras!

E então, virando resolutamente as costas para a casa, começou mais uma vez a percorrer a trilha, decidida a continuar andando em linha reta até chegar ao morro. Durante alguns minutos tudo pareceu correr muito bem, e já estava dizendo a si mesma "desta vez eu *chego* lá de qualquer jeito...", quando o caminho subitamente enroscou-se e remexeu-se (como ela contou mais tarde). Logo depois encontrou-se andando justamente em direção à porta da casa.

——Oh, assim é demais!——gritou.——Nunca vi casa tão metida no caminho da gente! Nunca!

Apesar disso, lá estava o morro bem à vista. E assim, não havia outro jeito senão começar tudo de novo. Desta vez ela chegou até um grande canteiro com a borda cheia de margaridas e um salgueiro que se erguia no meio.

——Ó lírio-tigrino——disse Alice dirigindo-se a um lírio que ondulava graciosamente ao vento——, só *queria* que você pudesse falar!

——Nós *podemos* falar——disse o Lírio-tigrino——quando tem alguém com quem valha a pena falar.

Alice ficou tão atônita que durante um minuto não conseguiu dizer nada: parecia ter ficado quase sem respiração. Finalmente, enquanto o Lírio-tigrino continuava apenas ondulando ao vento, ela falou outra vez, numa voz tímida, quase um sussurro:

——E *todas* as flores podem falar?

——Tanto quanto *você*——disse o Lírio-tigrino.——E bem mais alto.

——Não seria educado de nossa parte começar, você sabe——disse a Rosa——, e na verdade eu já estava me perguntando se você ia ou não falar! E disse pra mim mesma: sua cara mostra que ela é *algo* racional, embora não pareça muito inteligente. Seja como for, sua cor está bem, e isso já é alguma coisa.

——Não me incomodo com a cor dela——observou o Lírio-tigrino.—— Se pelo menos as pétalas fossem um pouco mais enroladas, seria melhor.

Alice não estava gostando nada de ser criticada e assim começou a fazer perguntas:

——Nunca têm medo de ficar plantadas aqui fora, sem ninguém que cuide de vocês?

——Tem uma árvore no meio——disse a Rosa.——Pra que é que ela serve, então?

——Mas que é que ela poderia fazer, em caso de perigo? —— perguntou Alice.

——Abrir o choro——disse a Rosa.

——Ela faz "uou-uou"!——exclamou a Margarida.——Por isso é que chama salgueiro-chorão.

——Você não sabia *disso*?——gritou outra Margarida. E começaram todas a gritar em coro, o ar parecia cheio de suas vozinhas estridentes.

——Silêncio, vocês todas!——gritou o Lírio-tigrino, agitando-se com exaltação de um lado para o outro e trêmulo de raiva.——Elas sabem que eu não posso alcançá-las!——disse ele, ofegante, inclinando para Alice a sua cabeça agitada.——Senão, não ousariam fazer tal coisa!

——Não faz mal!——disse Alice em tom apaziguador e, curvando-se para as margaridas, que estavam começando a gritar de novo, sussurrou:——Se não engolirem a língua já, vou colher vocês!

O silêncio baixou no mesmo instante, e várias margaridas rosadas ficaram brancas.

——Ótimo!——disse o Lírio-tigrino.——As margaridas são as piores de todas. Quando uma fala, todas começam a falar ao mesmo tempo. E ouvir a tagarelice delas basta para fazer qualquer um murchar!

——Como é que vocês podem falar tão bem?——perguntou Alice, com a esperança de que um elogio aplacasse os ânimos.——Já estive em muitos jardins antes, mas nenhuma das flores podia falar.

——Coloque sua mão no chão e sinta a terra——disse o Lírio--tigrino.——Então você saberá por quê.

Alice obedeceu.

——É muito duro——disse ela——, mas não vejo o que tem a ver uma coisa com a outra.

——Na maior parte dos jardins——disse o Lírio-tigrino——fazem o canteiro tão fofo que as flores estão sempre dormindo.

 Isso parecia ser uma boa razão, e Alice ficou satisfeita de reconhecê-lo.

——Nunca pensei nisso antes!——exclamou.

——Na *minha* opinião, você nunca pensa *em nada*——disse a Rosa em tom quase irritado.

——Nunca vi ninguém que parecesse mais burra——disse uma Violeta, tão de repente que Alice deu um pulo, pois ela ainda não tinha falado nada.

——Dobrem a língua!——gritou o Lírio-tigrino.——Como se *vocês* já tivessem visto alguém! Ficam com a cabeça metida entre as folhas e passam o tempo todo roncando a ponto de não saberem mais o que se passa no mundo, como se fossem um botão.

——Há mais gente no jardim fora eu?——perguntou Alice, preferindo fingir não ter ouvido o último comentário da Rosa.

——Há outra flor no jardim que pode se mover como você——disse a Rosa.——Só queria saber como é que você faz isso...("Você está sempre querendo saber tudo", observou o Lírio-tigrino.)——Mas ela tem mais folhas do que você.

——Ela é como eu?——Alice indagou avidamente, pois uma ideia lhe cruzara o espírito: "Há outra garota no jardim em algum lugar!"

——Ela é tão desajeitada como você——respondeu a Rosa——, mas é um pouco mais vermelha... e suas pétalas são mais curtas, eu acho.

——Suas pétalas são mais juntas, quase como uma dália——, interrompeu o Lírio-tigrino——não caem assim de qualquer jeito como as suas.

——Mas isso não é culpa *sua*——acrescentou a Rosa, delicadamente.——Você está começando a murchar, entende?... e assim não pode impedir que as pétalas fiquem meio desmazeladas.

Tal ideia não agradou Alice nem um pouco. Por isso, mudando de assunto, perguntou:

——Ela aparece por aqui às vezes?

——Provavelmente você vai vê-la daqui a pouco——disse a Rosa.——Ela é do tipo que tem espinhos.

——E onde usa os espinhos?——indagou Alice, cheia de curiosidade.

——Ora, em volta da cabeça, é claro——replicou a Rosa.——Eu estava só pensando por que *você* não tem espinhos também. Pensei que fosse uma regra geral.

——Lá vem ela!——gritou a Esporinha.——Estou ouvindo seus passos——toque, toque——sobre os cascalhos da aleia!

Alice olhou em volta ansiosamente e percebeu que era a Rainha Vermelha.

——Ela cresceu um bocado!——foi sua primeira observação. E, de fato, tinha crescido: quando Alice a encontrou no meio da cinza, ela tinha apenas uns oito centímetros de altura, e agora estava mais alta do que a própria Alice.

——É por causa do ar fresco——afirmou a Rosa.——O ar aqui fora é maravilhosamente puro.

——Acho que vou lá encontrá-la——disse Alice, pois embora as flores fossem muito interessantes, sentia que era bem mais importante falar com uma Rainha de verdade.

——É quase certo que você não conseguirá——observou a Rosa.——*Por mim*, eu lhe aconselharia a ir no sentido contrário.

Alice achou isso um disparate. Portanto, sem comentários,

começou logo a andar na direção da Rainha Vermelha. Para sua surpresa, perdeu-a de vista subitamente e se viu outra vez caminhando em direção à porta da casa.

Algo irritada, voltou-se e, depois de olhar em volta à procura da Rainha (avistou-a, finalmente, bem ao longe), pensou se não deveria, desta vez, tentar o plano de andar na direção oposta.

Sucesso total. Não andara sequer um minuto quando se deparou face a face com a Rainha Vermelha e bem perto do morro que tanto ansiara alcançar.

——De onde você vem?——perguntou a Rainha Vermelha.—— E para onde vai? Levante a cabeça, fale direito, e não fique mexendo os dedos o tempo todo.

Alice obedeceu a todas essas instruções e explicou, o melhor que podia, que tinha perdido o seu caminho.

——Não sei o que você quer dizer com *seu* caminho——observou a Rainha.——Todos os caminhos aqui são *meus*. Mas, como é que você chegou aqui, afinal?——acrescentou num tom mais delicado.——Faça uma reverência enquanto pensa na resposta. Isso economiza tempo.

Alice espantou-se um pouco, mas estava muito atemorizada com a Rainha para pôr qualquer coisa em dúvida. "Tentarei isso quando estiver em casa de volta", pensou consigo, "da próxima vez que estiver atrasada para o jantar."

——Já está na hora de você me responder——disse a Rainha, olhando o relógio.——Abra *um pouco mais* a boca quando falar e diga sempre "Vossa Majestade".

——Eu estava só querendo ver como era o jardim, Vossa Majestade.

——Está bem——disse a Rainha, dando um tapinha de leve na cabeça dela, o que Alice não gostou nada.——Você chama a isso de "jardim", mas *eu* já vi jardins perto dos quais este pareceria uma campina selvagem.

Alice não ousou discutir sobre isso, mas continuou:

——...e pensei que podia encontrar o caminho direto para aquele morro...

——Você diz "morro"——interrompeu a Rainha——, mas *eu* poderia lhe mostrar morros perto dos quais você chamaria isso aí de vale.

——Não, não chamaria——disse Alice, surpresa de estar contradizendo a Rainha, afinal——, um morro *não pode* ser um vale, ora essa. Isso seria um disparate...

A Rainha Vermelha meneou a cabeça.

——Você pode dizer que isso é disparate, se quiser. Mas já ouvi disparates comparado com os quais isso pareceria tão sensato quanto um dicionário.

Alice fez nova mesura, pois temia, pelo tom da Rainha, que ela tivesse ficado *um pouco* ofendida. Continuaram a andar em silêncio até chegarem ao topo do pequeno morro.

Durante alguns minutos Alice ficou sem dizer nada, olhando em todas as direções daquela região, que era bastante curiosa. Era cortada por uma porção de pequenos riachos, de lado a lado, e o terreno entre eles era dividido em quadrados por inúmeras cercas verdes, que ligavam os riachos.

——Ora essa, parece mais um grande tabuleiro de xadrez——terminou por dizer.——Deve haver algumas peças sendo mexidas por ali... e lá estão elas!——acrescentou encantada, e seu coração ficou aos pulos enquanto continuava a falar:——É uma grande partida de xadrez que está sendo jogada no mundo inteiro... se é que *isso* é o mundo. Oh, mas que coisa engraçada é isso tudo! Como eu gostaria de ser um deles! Não me importa se eu fosse apenas um peão, contanto que pudesse… embora, é claro, eu *preferisse* ser uma Rainha.

Olhou timidamente de soslaio para a verdadeira Rainha, enquanto dizia isso, mas sua acompanhante apenas sorria cheia de prazer, dizendo depois:

——Isso é fácil de se arranjar. Você pode ser o Peão da Rainha Branca, se quiser, pois Lily é jovem demais para jogar. E logo de começo você já está na segunda casa. Quando chegar na oitava será uma Rainha…

Quase de imediato, não se sabe bem como, puseram-se a correr.

Alice nunca pôde saber direito, quando pensou mais tarde, como é que isso tinha começado: tudo que ela se lembrou é que as duas estavam correndo de mãos dadas, e a Rainha era tão veloz que tudo que ela podia fazer era tentar acompanhá-la. Mesmo assim, a Rainha não se cansava de gritar "Mais depressa!", "Mais depressa!", mas Alice *não podia* ir mais depressa, embora mal tivesse fôlego para dizê-lo.

O mais curioso é que as árvores e tudo o mais em volta não pareciam mudar em nada: por mais velozes que fossem, elas pareciam não sair do lugar. "Será que todas as coisas estão se movendo ao nosso lado?", pensou, desconcertada, a pobre Alice. E a Rainha pareceu adivinhar seus pensamentos, pois gritou:

——Mais depressa! Não fique falando à toa!

Mas falar como? Alice nem pensava *nisso*. Parecia-lhe que jamais seria capaz de falar outra vez, de tal modo estava sem fôlego. E a Rainha continuava a gritar "Mais depressa! Mais depressa!", arrastando-a com força.

——Já estamos perto?——Alice conseguiu articular finalmente.

——Perto!——repetiu a Rainha.——Ora, nós já passamos há dez minutos! Mais depressa!

Correram durante algum tempo em silêncio, com o vento silvando nos ouvidos de Alice e quase arrancando os seus cabelos, era a impressão que tinha.

——Corre! Corre!——gritava a Rainha.——Mais depressa! Mais depressa!

E iam tão velozes que finalmente pareciam deslizar pelos ares, quase sem tocar o solo com os pés, até que de súbito, justo quando Alice parecia morrer de cansaço, elas pararam. Alice viu-se sentada no chão, aturdida e sem fôlego.

A Rainha recostou-a numa árvore e disse gentilmente:

——Você pode descansar um pouco agora.

Alice olhou em volta de si muito surpreendida.

——Ora essa, acho que ficamos sob essa árvore o tempo todo! Está tudo igualzinho!

——Claro que está——disse a Rainha.——O que você esperava?

——Em *nossa* terra——explicou Alice, ainda arfando um pou-co——geralmente se chega noutro lugar, quando se corre muito depressa e durante muito tempo, como fizemos agora.

——Que terra mais vagarosa!——comentou a Rainha.—— Pois bem, *aqui*, veja, tem de se correr o mais depressa que se puder, quando se quer ficar no mesmo lugar. Se você quiser ir a um lugar diferente, tem de correr pelo menos duas vezes mais rápido do que agora.

——É melhor nem tentar, por favor!——disse Alice.——Estou muito contente de estar aqui. Só que *estou* com tanto calor e tanta sede...

——Já sei do que *você* gostaria——disse a Rainha muito bona-chona enquanto tirava uma latinha do bolso.——Quer um biscoito?

Alice achou que não seria muito educado dizer "Não", embora não fosse bem isso o que ela queria. Por isso pegou o biscoito e co-meu do jeito que podia: era *muito* seco. Nunca, em sua vida toda, ela pensou, esteve tão a ponto de ficar sufocada.

——Enquanto você se refresca——continuou a Rainha——, vou tirar as medidas.——Tirou uma fita métrica do bolso e começou a medir o terreno, enfiando pequenas estacas aqui e ali.——Depois de medir dois metros——disse ela, enfiando uma estaca para marcar a distância——eu lhe darei algumas instruções. Aceita outro biscoito?

——Não, muito obrigada——respondeu Alice.——Um já foi *bastante*!

——A sede já passou, não é?——indagou a Rainha.

Alice ficou sem saber o que responder, mas felizmente a Rainha nem esperou a resposta e continuou:

——Depois de *três* metros, repetirei as instruções, pois tenho medo de que você esqueça. Depois de *quatro*, lhe direi adeus. De-pois de *cinco*, irei embora!

Quando acabou de falar já tinha plantado todas as estacas, e

Alice olhou cheia de curiosidade enquanto ela voltava para a árvore e logo a seguir começou a percorrer vagarosamente a trilha traçada.

Na estaca ao fim de dois metros voltou-se, dizendo:

——Um peão avança duas casas no seu primeiro movimento. Portanto, você atravessará *muito* rapidamente a Terceira Casa——de trem, eu acho——e chegará na Quarta Casa antes de se dar conta disso. Bom, *essa* casa pertence a Tweedledum e Tweedledee. A Quinta quase que só tem água… A Sexta pertence a Humpty Dumpty… E você, não faz nenhum comentário?

——Eu… eu… não sabia que tinha de fazer algum… por enquanto——balbuciou Alice.

——Você *devia*——continuou a Rainha, em tom de solene repreensão.——É extremamente gentil de sua parte me dizer tudo isso… enfim, vamos imaginar que você tenha dito… A Sétima Casa é só uma floresta, mas um dos Cavaleiros lhe ensinará o caminho… E na Oitava Casa seremos Rainhas as duas, e haverá festins e folia!

Alice levantou-se, fez uma mesura e sentou-se outra vez.

Na estaca seguinte, a Rainha virou-se outra vez e disse:

——Fale em francês, quando não se lembrar do inglês para qualquer coisa… estique bem as canelas quando andar… e lembre-se de quem você é!——desta vez não esperou que Alice fizesse uma mesura, pulando rapidamente para a próxima estaca. De lá, voltou-se para dizer "adeus", dirigindo-se apressada para a última estaca.

Como aconteceu, Alice nunca soube, mas assim que atingiu a última estaca, a Rainha desapareceu. Teria se volatizado nos ares ou disparara rapidamente floresta adentro ("e ela *pode* correr muito rápido", pensou Alice)? Não havia como adivinhar. Mas o certo é que se fora, e Alice começou a lembrar-se que era um Peão e que já devia estar chegando a hora de deslocar-se.

CAPÍTULO III.

INSETOS DO ESPELHO.

Claro que a primeira coisa a fazer era um exame acurado da região que iria atravessar. "É um pouco parecido com as minhas lições de geografia", pensou Alice, enquanto ficava na ponta dos pés, na esperança de avistar um pouco mais longe. "Rios principais: não há *nenhum*. Montanhas principais: estou em cima da única que existe, mas acho que não tem nome. Cidades principais… ei, que bichos são *aqueles* fazendo mel lá embaixo? Abelhas não podem ser… quem já viu abelhas a um quilômetro de distância?" Ficou em silêncio alguns minutos, olhando uma das criaturas, muito ocupada em meio às flores, mergulhando nelas a tromba, "como se fosse uma abelha normal", pensou Alice.

No entanto, aquilo estava longe de ser uma abelha normal: na verdade, era um elefante… Alice terminou por concluir, quase sem respirar quando lhe veio essa ideia. "E que flores enormes devem ser!", foi o que pensou logo depois. "Parecem chalés sem telhados, suspensos sobre hastes… e devem fazer um bocado de mel! Acho que vou descer e…, não, acho que não vou *logo*." Alice refreou o passo quando começava a descer correndo o morro, procurando achar alguma desculpa para a sua súbita relutância. "Não seria nada bom ir para junto deles sem um bom pedaço de pau para tangê-los… E seria engraçado se me perguntassem se eu gostei do passeio. Eu diria: 'Ah, sim, gostei muito' (e aqui ela balançou a cabeça com um jeito que era muito seu). Só que estava muito quente e poeirento, e os elefantes incomodavam *muito*!"

"Acho que vou descer pelo outro lado", murmurou após uma pausa. "Talvez eu vá visitar os elefantes depois. Além disso, quero *tanto* chegar na Terceira Casa."

Assim, com essa desculpa, desceu o morro correndo e saltou por cima do primeiro dos seis pequenos riachos.

——Bilhetes, faz favor!——disse o Fiscal, colocando a cabeça na janela. Na mesma hora todo mundo estava segurando um bilhete: era do mesmo tamanho das pessoas e parecia encher o vagão inteiro.

——Vamos, vamos! Onde está seu bilhete, garota?——indagou o Fiscal, olhando irritado para Alice. E uma porção de vozes entoou em conjunto ("como se fosse o refrão de uma música", pensou Alice):

——Não deixe ele esperar, menina! Seu tempo vale mil libras por minuto!

——Sinto muito, mas não pude comprar——murmurou Alice em tom assustado.——Não havia guichê no lugar de onde eu vim.

E outra vez ouviu-se o coro de vozes:

——Não havia lugar para guichê de onde ela veio. O terreno ali vale mil libras por centímetro quadrado!

——Nada de desculpas——disse o Fiscal.——Você devia ter comprado ao maquinista.

E mais uma vez ouviram-se as vozes em coro:

——O homem que dirige o trem. Só a fumaça vale mil libras a baforada!

Alice pensou consigo: "Então, nem adianta falar." Desta vez, como não tinha dito nada, as vozes não falaram em coro, mas, para grande surpresa de Alice, *pensaram* em coro (espero que vocês entendam o que quer dizer *pensar em coro*, porque *eu* confesso que não entendo): "É bem melhor não dizer coisa alguma. A linguagem vale mil libras por palavra!"

"Vou sonhar com mil libras hoje à noite, ora se vou", pensou Alice.

Enquanto isso o Fiscal estava o tempo todo a observá-la, primeiro com um telescópio, depois com um microscópio, e finalmente com um binóculo. Depois desse exame, declarou:

——Você está na direção errada——e, fechando a janela, sumiu.

——Uma garota tão jovem——disse o cavalheiro sentado diante dela (ele estava vestido de papel branco)——devia saber para onde vai, mesmo que não soubesse o próprio nome!

Um Bode, sentado ao lado do cavalheiro de branco, fechou os olhos e disse em voz alta:

——Devia saber onde fica o guichê de passagens, mesmo que não conhecesse o alfabeto!

Ao lado do Bode, estava sentado um Besouro (era um grupo muito excêntrico de passageiros). Como a regra parecia ser a de cada um falar por sua vez, o Besouro prosseguiu:

——Ela tem de ser despachada de volta como bagagem!

Alice não podia ver quem estava sentado depois do Besouro, mas ouviu-se a seguir uma voz zurradora.

——Troque de trem…——disse a voz, mas engasgou-se e foi forçada a calar-se.

"Parece um jumento zurrando", pensou Alice. E uma vozinha muito baixa, junto do seu ouvido, sussurrou:

——Você devia fazer uma piada com isso… qualquer coisa assim sobre "burro" e "zurro", está entendendo?

E logo depois uma voz muito suave, à distância, disse:

——Ela devia ser rotulada: "Menina. Cuidado: frágil".

A seguir, outras vozes prosseguiram ("Quanta gente dentro desse vagão!", pensou Alice), dizendo:

——Devia ir pelo correio, pois seu vestido está cheio de estampas…

——Devia ser enviada como mensagem pelo telégrafo…

——Devia rebocar o trem o resto da viagem…——e assim por diante.

Mas o cavalheiro vestido de papel branco inclinou-se para ela e sussurrou-lhe ao ouvido:

——Não ligue para o que eles dizem, minha querida, mas compre um bilhete de ida-e-volta cada vez que o trem parar.

——Nem pensar!——retrucou Alice meio impaciente.—— Não tenho nada com tal viagem. Eu estava num bosque ainda há pouco e só queria voltar pra lá!

——Você podia fazer uma piada com isso——disse a vozinha perto do seu ouvido——, algo como "voltar de trem" e "voltar com seus trens", entende?

——Não amole——disse Alice, procurando inutilmente localizar de onde vinha aquela voz.——Se está com tanta vontade de ouvir uma piada, por que você mesmo não faz uma?

A vozinha suspirou profundamente. Não havia dúvida de que estava *muito* infeliz, e Alice gostaria de dizer alguma coisa confortante. "Se ao menos suspirasse como as outras pessoas!", pensou. Mas era um suspiro tão assombrosamente diminuto que ela não poderia tê-lo ouvido se não fosse *bem* junto do seu ouvido. Por isso lhe fazia muitas cócegas e desviava seus pensamentos da infelicidade da pobre criaturinha.

——Eu sei que você é uma amiga——continuou a vozinha.——Uma amiga muito querida, uma velha amiga. E você não vai me fazer mal, embora eu seja um inseto.

——Que tipo de inseto?——Alice perguntou, um pouco apreensiva. Na verdade ela queria saber se era dos insetos que davam ferroadas ou não, mas achou que seria indelicado fazer uma pergunta dessas.

——O quê? Mas então você não...——começou a dizer a vozinha, mas foi abafada por um estridente apito da máquina, e todos se levantaram sobressaltados, inclusive Alice.

O Jumento, que tinha posto a cabeça fora da janela, recolheu-a tranquilamente, dizendo:

——É apenas um riacho que temos de saltar!

Todos pareceram satisfeitos com a explicação, embora Alice

ficasse meio nervosa com a ideia de trens andarem aos saltos. "Em todo caso", disse para si mesma, "isso nos leva à Quarta Casa, o que já é um consolo". No momento seguinte sentiu como se o vagão estivesse suspenso no ar. Muito assustada, agarrou-se ao que estava mais a seu alcance. E acontece que era a barba do Bode.

Mas a barba pareceu dissolver-se assim que a tocou, e Alice viu-se tranquilamente sentada sob uma árvore… enquanto o Mosquito (pois esse era o inseto com quem estivera conversando) balançava-se num pequeno galho acima da cabeça dela, abanando-a com as suas asas.

Era de fato um mosquito *muito* grande: "do tamanho de um frango", pensou Alice. Mesmo assim, não conseguiu sentir-se amedrontada com ele, depois de terem conversado tanto.

——… então você não gosta de *todos* os insetos?——continuava a dizer o Mosquito, com a maior calma, como se nada tivesse acontecido.

——Gosto quando sabem conversar——respondeu Alice.——Do lugar de onde *eu* vim, nenhum deles jamais falou comigo.

——Que espécie de insetos lhe dão mais prazer, lá no lugar de onde você veio?——indagou o Mosquito.

——Os insetos lá não me dão *prazer*, na verdade——explicou Alice——, porque tenho medo deles, pelo menos dos maiores. Mas posso lhe dar o nome de alguns.

——Naturalmente eles atendem pelo nome——observou distraidamente o Mosquito.

——Nunca ouvi dizer que fizessem isso.

——E de que serve, então, eles terem nomes, se não atendem por esses nomes?——estranhou o Mosquito.

——Para *eles*, não serve de nada——Alice explicou.——Mas é útil para as pessoas que dão os nomes, eu acho. Se não, por que dar nomes às coisas?

——Não sei——disse o Mosquito.——Lá na floresta as coisas não têm nomes. Em todo caso, vamos a essa lista de insetos: você está perdendo tempo.

——Bom, tem o Bicho-de-Pau——começou Alice, contando os nomes nos dedos.

——Muito bem——disse o Mosquito.——Logo adiante, no matagal, você pode ver um Bicho-de-Pau-Para-Toda-Obra. É todo de madeira, naturalmente, e está sempre em atividade, não para um só instante.

——E de que é que ele se alimenta?——perguntou Alice, ardendo de curiosidade.

——De seiva e serragem——respondeu o Mosquito.——Vamos ao próximo da lista.

Alice ficou olhando o Bicho-de-Pau-Para-Toda-Obra com o maior interesse e concluiu que ele acabava de ser repintado, tão lustroso e pegajoso era o seu aspecto. Depois continuou.

——Tem também a Lagarta-de-Fogo.

——Olhe para o galho acima de sua cabeça——disse o Mosquito.——Lá está uma Lagarta-de-Fogo-de-Palha. O corpo, seco e quebradiço, se inflama com a maior facilidade, mas as chamas se apagam.

——E se alimenta de quê?——indagou Alice, como antes.

——De pudim flambado——respondeu o Mosquito.

——Tem ainda o Zigue-zigue——prosseguiu Alice, depois de ter observado bem o bichinho inflamável e de ter pensado consigo mesma: "Quem sabe se não é por isso que os insetos gostam tanto de voar em torno das velas: eles querem se transformar em Lagartas-de-Fogo-de-Palha".

——Esvoaçando a seus pés——disse o Mosquito (Alice encolheu os pés, alarmada)——você pode ver um Ziguezigue-zague. Passa o tempo todo dançando, de um lado para o outro, em zigue-zague, com as suas asas transparentes.

——E de que se alimenta?

——De suspirinho e creme.

Uma nova objeção ocorreu à mente de Alice:

——Vamos dizer que ele não encontre isso. Que acontece?

——Então morre, é claro.

——Mas isso deve acontecer demais——comentou Alice, pensativa.

——Acontece sempre——disse o Mosquito.

Depois disso Alice ficou silenciosa durante um ou dois minutos, meditando. O Mosquito se divertia, enquanto isso, zunindo em volta da cabeça dela. Finalmente, pousou outra vez e observou:

——Acho que você não gostaria de perder seu nome, não é?

——Não, naturalmente——disse Alice, um pouco inquieta.

——Mesmo assim, não sei não——continuou o Mosquito, num tom meio distraído.——Pense só como seria cômodo se você pudesse voltar pra casa sem o seu nome. Por exemplo, se a governanta quisesse chamar você para estudar. Ela gritaria "Venha cá…" e teria de desistir, porque não haveria nenhum nome para chamar, e você não teria de atender, é claro.

——Isso nunca aconteceria, tenho certeza——disse Alice——, a governanta nunca me dispensaria de estudar por causa disso. Se ela não pudesse se lembrar do meu nome, gritaria: "Responda, menina, venha cá!"

——Pois então! Se ela dissesse "Responda, menina: venha cá", você responderia "Venha cá" e não iria à aula. É um jogo de palavras, gostaria que fosse *sua* a piada.

——Por que gostaria que fosse *minha*? ——indagou Alice.—— É muito malfeita.

O Mosquito limitou-se a suspirar profundamente, enquanto duas grossas lágrimas lhe rolavam pela cara.

——Você não devia fazer piadas——observou Alice——, já que isso o faz tão infeliz.

Ouviu-se então outro daqueles melancólicos e débeis suspiros, e dessa vez o pobre Mosquito parecia de fato ter-se dissolvido no próprio suspiro, pois quando Alice olhou para cima não havia vestígios dele no galho em que estava pousado. Começava a sentir um pouco de frio por estar sentada ali durante tanto tempo. Por isso levantou-se e recomeçou a andar.

Logo chegou a um descampado, e do lado oposto havia um bosque. Parecia mais denso que o anterior, e Alice hesitava *um pouco* em penetrar dentro dele. Todavia, refletindo bem, decidiu-se a fazê-lo, "pois com certeza eu não quero *voltar*", disse para si mesma, e aliás esse era o único meio de chegar à Oitava Casa.

"Este deve ser o bosque", murmurou pensativamente, "onde as coisas não têm nomes. E o que vai ser do *meu* nome quando eu entrar? Não gostaria de perdê-lo de jeito nenhum, pois teriam de me dar outro, e é quase certo que seria feio. Mas seria engraçado achar a criatura que ficou com o meu nome antigo! É como nos anúncios de cachorros desaparecidos: 'Atende pelo nome de Fúria e tem uma coleira de cobre'... Imagine sair chamando todo mundo de 'Alice' até que alguém responda. Só que se for esperto não vai responder."

Ia devaneando dessa maneira quando chegou à entrada do bosque, que parecia muito úmido e sombrio. "Bom, de qualquer modo é um alívio", disse enquanto avançava em meio às árvores, "depois de tanto calor, entrar dentro do... dentro do... dentro *de quê*?" Estava assombrada de não poder se lembrar do nome. "Bom, isto é, estar debaixo das... debaixo das... debaixo *disso* aqui, ora!", disse, colocando a mão no tronco da árvore. "Como é que essa coisa se chama? É bem capaz de não ter nome nenhum... ora, com certeza não tem mesmo!"

Ficou calada durante um minuto, pensando. Então, de repente, exclamou:

——Ah, então isso *terminou* acontecendo! E agora, quem sou eu? Eu *quero* me lembrar, se puder. Estou decidida a me lembrar.

Mas não adiantava grande coisa que estivesse decidida, e tudo que pôde dizer, depois de quebrar muito a cabeça, foi:

——L, *eu sei* que começa com L!

Nesse exato momento ia passando um cervo perto dela: olhou para Alice com os seus grandes olhos suaves, mas não pareceu se assustar.

——Vem cá! Vem cá!——disse Alice, estendendo a mão e tentando acariciá-lo. Mas ele saltou um pouco para trás e ficou parado olhando para ela outra vez.

——Como é que você se chama?——disse o Cervo, afinal. E que voz doce e suave ele tinha!

"Bem que eu queria saber!", pensou a pobre Alice. Um pouco tristemente, respondeu:

——Por enquanto, nada.

——Pense mais um pouco——ele disse——, isso não serve.

Alice pensou, mas não adiantou de nada.

——Por favor, pode me dizer como é que *você* se chama?——indagou timidamente.——Acho que isso talvez pudesse me ajudar um pouco.

——Eu lhe direi, se você me acompanhar até mais adiante——respondeu o Cervo.——*Aqui* não consigo me lembrar.

Caminharam então juntos pelo bosque, Alice com os braços envolvendo amorosamente o suave pescoço do Cervo, até chegarem a outro descampado. Nesse ponto, o Cervo deu um súbito salto no espaço, livrando-se dos braços de Alice.

——Eu sou um Cervo!——gritou, cheio de alegria.——E, meu Deus, você é uma criança humana!——uma súbita expressão de pavor surgiu nos seus belos olhos castanhos, e no mesmo instante, como uma flecha, disparou a toda velocidade.

Alice contemplou sua fuga cheia de aflição, com lágrimas nos olhos por ter perdido tão repentinamente o seu pequeno e querido companheiro de viagem. "Em todo caso, agora já sei meu nome. Já é *algum* consolo. Alice... Alice... Não vou me esquecer outra vez. E agora, pergunto, qual dessas placas de indicação devo seguir?"

Não era uma pergunta difícil de responder, pois só havia um único caminho através do bosque, e as duas placas apontavam ambas a mesma direção. "Eu me decidirei", disse Alice para si mesma, "quando a estrada se dividir e as placas apontarem caminhos diferentes".

Mas isso parecia bem improvável. Ela andou e andou, caminhando um bom pedaço. Mas onde quer que a estrada se bifurcasse, era inevitável encontrar duas placas com o dedo apontando na mesma direção. Uma marcava "PARA A CASA DE TWEEDLEDUM", e a outra, "PARA A CASA DE TWEEDLEDEE".

"Está claro", disse Alice afinal, "que eles moram na *mesma* casa! Como é que não pensei nisso antes... Mas não posso continuar aqui muito tempo. Irei até lá só pra dizer 'Muito prazer em conhecê-los!' e perguntar-lhes a saída do bosque. Se ao menos eu pudesse chegar à Oitava Casa antes da noitinha!" E assim ela ia, falando para si mesma, quando, ao dobrar uma esquina abrupta, deparou-se com dois homenzinhos gorduchos. Foi tão repentino que ela não pôde evitar dar um passo atrás, mas logo se recuperou da surpresa, ao compreender que com certeza eles só podiam ser...

CAPÍTULO IV.

Estavam de pé sob uma árvore, cada um com o braço em volta do pescoço do outro. No mesmo instante Alice pôde distinguir quem era quem, pois um tinha DUM bordado no colarinho, e o outro, DEE. "Aposto que os dois têm TWEEDLE na parte de trás do colarinho", disse para si mesma.

Estavam tão quietos que ela se esqueceu totalmente de que eram vivos e já ia dar a volta para ver se a palavra TWEEDLE estava escrita na parte de trás do colarinho quando teve um sobressalto ao ouvir a voz daquele que estava marcado DUM.

——Se você pensa que somos imagens de cera——ele disse
——, então devia pagar, não acha? Imagens de cera não foram fei-
tas para serem vistas de graça. De modo algum!

——Contrariamente——acrescentou o que estava marcado
DEE——, se acha que estamos vivos, então você deve falar.

——Peço mil desculpas——foi tudo que Alice pôde balbuciar.
Pois os versos da velha canção soavam na sua cabeça como se
fossem o tique-taque de um relógio, e ela mal podia se conter de
recitá-los alto:

> Tweedledum e Tweedledee
>   Vão lutar de foice e faca
> Pois Tweedle Dum diz que Dee
>   Quebrou-lhe a nova matraca.
>
> Eis que surge um corvo horrendo
>   Tão negro quanto o alcatrão
> E os dois heróis correndo
>   Tudo esquecem, em confusão.

——Já sei em que é que você está pensando——disse Tweedledum, mas não é nada disso, de modo algum.

——Contrariamente——continuou Tweedledee——, se assim
era, então poderia sê-lo; e se assim o fosse, então seria; mas como
assim não é, então não será. É lógico.

——Eu estava querendo saber——disse Alice muito educadamente——qual é a melhor maneira de sair deste bosque: está ficando
tão escuro! Vocês podiam me dizer, por favor?——mas os dois gorduchos apenas se entreolharam, arreganhando os dentes.

Pareciam tanto com uma dupla de colegiais grandes que Alice não pôde resistir à tentação de apontar o dedo para Tweedledum e dizer:

—— Você aí, o primeiro!

—— De modo algum! —— gritou Tweedledum energicamente e no mesmo instante fechou a boca outra vez com um estalo.

—— O seguinte! —— disse Alice apontando para Tweedledee, embora já estivesse quase certa de que ele apenas gritaria "Contrariamente!", e assim o fez.

—— Você começou errado! —— gritou Tweedledum. —— A primeira coisa que se faz numa visita é dizer "Prazer em conhecê-los!" e apertar as mãos.

Nesse ponto os dois irmãos se deram um abraço e estenderam as mãos que estavam livres para apertar a mão dela.

Alice não podia apertar a mão de nenhum dos dois em primeiro lugar, por temor de ferir a suscetibilidade do outro. Assim, resolveu a questão apertando as mãos de ambos ao mesmo tempo: logo de imediato, começaram a dançar em círculo. Isso lhe pareceu muito natural (como lembrou-se depois) e não ficou surpreendida nem mesmo de ouvir música. Parecia descer da árvore sob a qual estavam dançando e era produzida (na medida em que pôde observar) pelos galhos que se friccionavam uns sobre os outros, como se fossem um violino e um arco de violino.

"Mas com certeza era *muito* engraçado" (comentou Alice depois quando contou toda essa história à sua irmã), "ver que eu mesma estava cantando 'Se esta rua, se esta rua fosse minha'. Não sei quando foi que comecei, mas era como se estivesse cantando há muito, muito tempo!"

Os outros dois dançarinos eram gordos e logo perderam o fôlego.

—— Quatro voltas bastam para uma dança —— disse Tweedledum

ofegante, e pararam de dançar tão bruscamente quanto tinham começado: a música também parou no mesmo momento.

Largaram então a mão de Alice e puseram-se a olhar para ela
durante um minuto: era uma pausa meio embaraçosa, pois Alice
não sabia começar uma conversa com gente com quem apenas tinha
acabado de dançar. "Não tem mais sentido dizer *agora* 'Prazer em
conhecê-los!'", disse ela com seus botões. "Bom, de qualquer maneira
parece que já fomos um pouco além disso."

——Será que vocês estão muito cansados?——disse, afinal.

——De modo algum. E muito *obrigado* por perguntar——disse
Tweedledum.

——Muito *agradecido*!——acrescentou Tweedledee.——Gosta
de poesia?

——Sim, gosto muito de *certas* poesias——disse Alice cheia de
hesitação.——Vocês podiam me dizer qual o caminho pra fora do
bosque?

——Que é que eu vou recitar pra ela?——disse Tweedledee
olhando gravemente para Tweedledum, com os olhos esbugalha-
dos, sem prestar atenção à pergunta de Alice.

——"A Morsa e o Carpinteiro" é o mais longo——respondeu
Tweedledum, dando um afetuoso abraço no irmão. Tweedledee
começou imediatamente:

O sol brilhava sobre...

Nesse ponto Alice arriscou-se a interrompê-los:

——Se é *muito* longo——disse o mais gentilmente que pôde
——, podiam, por favor, me dizer antes qual é o caminho...

Tweedledee limitou-se a sorrir com delicadeza e recomeçou:

O sol brilhava sobre o mar
    E brilhava a seu bel-prazer
Caprichando o quanto podia
    Para as vagas embranquecer.
E isso era bem estranho, pois
    Já ia longe o anoitecer.

A Lua brilhava amuada
    Porque achava inconsequente
Que o sol ainda estivesse ali
    Com o dia findo, estranhamente.
"Que grosseirão!", ela dizia,
    "Que desmancha-prazeres, que demente!"

O mar estava mais que molhado,
    A areia inda mais seca estava
E o céu era um vazio, pois
    Nem uma nuvem se avistava.
Os pássaros já tinham sumido
    E nenhum deles mais voava.

Juntos, a Morsa e o Carpinteiro
    Iam bem devagar, lado a lado.
E desatavam em pranto ao ver
    O chão de areia tão inundado.
"Se ao menos se pudesse tê-lo
    todo limpo e bem escovado!"

"Se sete criadas com sete vassouras
        Em seis meses varressem a valer,
Você acha", perguntou a Morsa,
        "Que o chão limpo voltasse a ser?"
"Duvido!", disse o Carpinteiro,
        Com lágrimas na face a correr.

"Ó ostras, venham cá passear!",
        Rogou a Morsa, suplicante.
"Um passeio, uma prosa agradável
        Na praia, até mais adiante.
Mas só podemos levar quatro
        De cada vez, não obstante!"

A ostra velha olhou pra Morsa
    Bem quieta e não disse nada.
Só fez piscar os olhos vivos
    Meneando a cabeça pesada.
Como quem diz que só queria
    No seu canto ficar sossegada.

Mas quatro ostrinhas se assanharam
    Ansiosas para passear.
Caras limpas, roupa escovada
    Com seus sapatos a brilhar.
E isso era bem estranho, pois
    Nem pés tinham para calçar.

Acorreram mais quatro ostras
    E mais outras quatro louquinhas.
Enfim chegaram em turbilhão
    E outras mais em torvelinho
Saltitando na crista da onda
    Para as areias tão branquinhas.

A Morsa e o Carpinteiro então
    Andaram uma légua mais à frente
E descansaram numa pedra
    De altura conveniente.
As ostrinhas aguardaram em pé
    Em fila, em ordem, obedientes.

"Chegou a hora", disse a Morsa,
　　"Para falar sem timidez
De lacres, sapatos, navios,
　　De repolhos e de reis…
Por que o mar ferve tanto ou
　　Se os porcos têm asas, talvez."

"Mas, espere aí!", gritam as ostras,
　　"Antes dessa boa prosinha,
Pois ficamos quase sem fôlego
　　E estamos todas tão gordinhas!"
"Não há pressa", diz o Carpinteiro.
　　"Obrigada!", dizem as ostrinhas.

"Um pedaço de pão", diz a Morsa,
   "É que é agora o ideal.
Pimenta, e vinagre também,
   Não iria nada mal.
Preparem-se, queridas ostrinhas,
   Para uma ceia bem frugal."

"Mas não conosco!", gritam as ostras,
   Numa palidez miserável.
"Depois de tanta gentileza
   Seria algo abominável."
"Que noite linda", diz a Morsa,
   "Não acha a vista admirável?"

"Que gentil vocês terem vindo!
   Que delicadas são vocês!"
O Carpinteiro não diz nada além de:
   "Mais um pouco de pão francês.
Afinal, você ficou surda?
   Já lhe pedi mais de uma vez!"

"Que vergonha", suspira a Morsa,
   "Enganá-las assim desse jeito.
Depois, trazê-las de tão longe
   E fazê-las andar tão ligeiro!"
O Carpinteiro não diz nada além de:
   "Não passaste a manteiga direito."

"Choro por vocês", diz a Morsa,
    "Os meus pêsames, sinceramente."
Com suspiros e lágrimas escolhe
    As maiores, cuidadosamente,
E com grande lenço ela enxuga
    Seu choro tão pungente.

"Ó ostras!", diz o Carpinteiro,
    "Que agradável este passeio!
Vamos voltar pra casa agora?"
    Mas nenhuma resposta veio.
O que não era nada estranho, pois
    Seu estômago já estava cheio.

——Gosto mais da Morsa——disse Alice——porque, veja bem, ela teve um *pouco* mais de pena das pobres ostras.

——No entanto, comeu mais do que o Carpinteiro——disse Tweedledee.——Ficou com o lenço diante do rosto, veja bem, pra que o Carpinteiro não pudesse contar quantas ostras ela apanhava: contrariamente.

——Que miserável!——disse Alice indignada.——Então gosto mais do Carpinteiro, já que comeu menos do que a Morsa.

——Mas ele comeu quantas pôde——disse Tweedledum.

Isso era desorientador. Depois de uma pausa, Alice concluiu:

——Bom, na verdade *ambos* eram muito maus caráteres...

Aqui ela se interrompeu, algo alarmada ao ouvir um ruído que parecia o sopro de uma locomotiva no bosque próximo e que temia ser de um animal selvagem.

——Existem leões ou tigres aqui por perto?——indagou timidamente.

——É só o Rei Vermelho roncando——respondeu Tweedledee.

——Venha cá ver!——gritaram os dois irmãos e, pegando cada um nas mãos de Alice, levaram-na até junto do rei adormecido.

——Não é um espetáculo *adorável*?——disse Tweedledum.

Alice não podia responder honestamente que sim. O Rei tinha uma grande touca vermelha, de borla, e estava encolhido como se fosse um monte de trapos sujos, roncando alto——"capaz até de ficar descabeçado com os roncos", como observou Tweedledum.

——Não vá ele apanhar um resfriado aí nessa relva úmida—— disse Alice, que era uma garota de muito juízo.

——Ele está sonhando agora——disse Tweedledee.——E com que é que você pensa que ele está sonhando?

——Ninguém pode adivinhar uma coisa dessas——observou Alice.

——Ora, ora, é com *você*!——exclamou Tweedledee, batendo palmas triunfantemente.——E se ele deixasse de sonhar com você, onde é que você acha que estaria?

——Aqui, no mesmo lugar, é claro——disse Alice.

——Nada disso!——replicou Tweedledee com desdém.—— Você não estaria em lugar nenhum. Pois você é apenas uma espécie de imagem no sonho dele!

——Se o Rei acordasse——acrescentou Tweedledum——, você se apagaria, puff!, como a chama de uma vela!

——É mentira!——exclamou Alice indignada.——Além disso, se *eu* sou apenas uma espécie de imagem no sonho dele, o que é que *vocês* são, hein? Gostaria de saber.

——Idem——disse Tweedledum.

——Idem, idem!——gritou Tweedledee.

Gritou tão alto que Alice não pôde deixar de dizer:

——Psst! Cuidado que você vai acordá-lo, se fizer tanto barulho.

——Como é que pode falar em acordá-lo——disse Tweedledum——se você não é mais do que uma imagem dentro do sonho dele? É inútil. Você sabe muito bem que *você* não é real.

——Eu *sou* real sim!——disse Alice e começou a chorar.

——Não é chorando que você vai ficar mais real——observou Tweedledee.——Além disso, não vejo por que chorar.

——Se eu não fosse real——respondeu Alice, meio rindo entre as lágrimas, porque aquilo tudo parecia tão ridículo——, não seria capaz de chorar.

——Espero que você não esteja pensando que essas lágrimas são *reais*, ou está?——interrompeu Tweedledum em tom de grande desprezo.

"Sei que tudo que eles estão dizendo é disparate", pensou Alice consigo mesma, "e portanto é besteira estar chorando por causa disso." Assim, enxugou as lágrimas e continuou a falar tão animadamente quanto pôde:

——De qualquer maneira, acho melhor ir saindo desse bosque, pois está começando a ficar escuro. Vocês acham que vai chover?

Tweedledum abriu um enorme guarda-chuva por cima da própria cabeça e da do irmão e, erguendo os olhos, examinou-o por dentro:

——Não, acho que não——comentou.——Pelo menos *aqui* embaixo. De modo algum.

——Mas, pode chover aqui *fora*?

——Pode, se a chuva quiser——disse Tweedledee.——Não temos objeção. Contrariamente.

"Egoistinhas!", pensou Alice, e preparava-se para dizer "Boa--noite!" e ir embora quando Tweedledum saltou de debaixo do guarda-chuva e segurou-a pelo pulso.

——Está vendo *aquilo*?——perguntou com a voz enfurecida, os olhos dilatados e amarelecidos, apontando com um dedo trêmulo um pequeno objeto branco debaixo da árvore.

——É só um chocalho——disse Alice, depois de examinar o

objeto cuidadosamente.——Não é uma *cobra*-de-chocalho, veja bem——apressou-se a dizer, pensando que ele estivesse assustado.——É só uma velha matraca, muito velha e quebrada.

——Eu sabia! Eu sabia!——gritou Tweedledum, batendo com os pés e puxando os cabelos como um louco.——É claro que ela está quebrada!

E aí fuzilou Tweedledee com o olhar, o qual imediatamente sentou-se no chão, tentando esconder-se sob o guarda-chuva. Alice pousou a mão no seu braço e disse em tom apaziguador:

——Não fique com tanta raiva por causa de uma matraca velha.

——Mas não é velha!——gritou Tweedledum mais furioso do que nunca.——É novinha, eu lhe juro… comprei ontem mesmo… minha LINDA MATRACA, minha matraca *novinha em folha*!—— e sua voz se esganiçava até parecer um guincho.

Esse tempo todo Tweedledee passou tentando fechar-se dentro do guarda-chuva. Era algo tão extravagante que desviou a atenção de Alice para longe do irmão furibundo. Mas ele não conseguiu seu intento, terminando por cair no chão, embrulhado no guarda--chuva, só com a cabeça de fora. E ali ficou, abrindo e fechando a boca e os olhos enormes... "Parecendo mais um peixe do que outra coisa qualquer", pensou Alice.

——Naturalmente você concorda com um duelo?——perguntou Tweedledum, mais calmo.

——Acho que sim——respondeu o outro, amuado, saindo de quatro pés de baixo do guarda-chuva.——Só que *ela* tem que ajudar a nos vestirmos.

E assim os dois irmãos se foram, de mãos dadas, para dentro do bosque, voltando num minuto com os braços cheios de coisas... travesseiros, cobertores, tapetes, toalhas de mesa, tampas de prato e baldes para carvão.

——Espero que você tenha jeito pra pregar alfinetes e dar laços ——observou Tweedledum.——Essas coisas todas têm de ficar no lugar certo, seja lá como for.

Alice comentou depois que nunca vira tanto espalhafato na sua vida toda. Só vendo como aqueles dois se afobavam... e o monte de coisas que botavam em cima deles... e o trabalho que ela teve para dar laços e abotoá-los. "Vão ficar parecendo mais duas trouxas de roupa velha do que outra coisa qualquer, quando estiverem prontos", ela pensava, enquanto ajeitava um travesseiro em volta do pescoço de Tweedledee "para não ser decapitado", como ele explicou.

——Você sabe——acrescentou solenemente——que uma das coisas mais graves que podem acontecer num combate... é ser decapitado.

Alice riu alto, mas deu um jeito de transformar o riso numa tosse fingida, temendo ferir a suscetibilidade do outro.

——Estou parecendo muito pálido?——perguntou Tweedledum, aproximando-se para que ela lhe colocasse o elmo (ele *chamava* aquilo de elmo, embora parecesse muito mais com uma caçarola).

——Sim… um *pouquinho*——respondeu Alice com delicadeza.

——Sou muito corajoso, em geral——continuou ele em voz baixa——, mas é que hoje estou com dor de cabeça.

——E eu com dor de dentes!——disse Tweedledee, que ouvira a observação do outro.——Estou bem pior do que você!

——Então é melhor que não lutem hoje——disse Alice, pensando que aquilo fosse um bom pretexto para fazer a paz.

——*Temos* de combater um pouco, mas não me importo se não durar muito——disse Tweedledum.——Que horas são?

Tweedledee olhou para o seu relógio e respondeu:

——Quatro e meia.

——Lutemos até as seis, depois vamos jantar——propôs Tweedledum.

——Está bem——disse o outro, meio triste.——E ela será nossa espectadora. Só que lhe aconselho não chegar *muito* perto ——acrescentou.——Geralmente acerto em tudo que vejo… quando fico excitado de fato.

——E eu acerto em tudo que está ao meu alcance——gritou Tweedledum——, veja ou não veja!

Alice riu.

——Então vocês devem acertar nas árvores o tempo todo, eu acho.

Tweedledum olhou em volta com um sorriso satisfeito.

——Acho——declarou——que nem uma só árvore restará de pé por aqui, quando tivermos acabado!

——E tudo por causa de uma matraca——comentou Alice, ainda com esperanças de que eles ficassem *um pouco* envergonhados de lutar por tal ninharia.

——Eu não me importaria tanto——disse Tweedledum——se não fosse uma matraca nova.

"Gostaria que viesse o corvo gigante agora", pensou Alice.

——Só tem uma espada, você sabe——disse Tweedledum para o irmão——, mas *você* pode usar o guarda-chuva… é igualmente pontudo. E vamos começar logo. Está ficando tão escuro quanto possível.

——E ainda mais escuro——disse Tweedledee.

Ficou escuro tão de repente que Alice pensou que vinha alguma tempestade.

——Que nuvem negra e espessa vem ali!——ela disse.——E como vem depressa! Ora essa, parece que tem asas!

——É o corvo!——gritou Tweedledum numa voz estridente e alarmada. E os dois irmãos deram no pé, desaparecendo num instante.

Alice correu um pouco para dentro da floresta e parou sob uma grande árvore. "Ele não pode me alcançar *aqui*", pensou, "é grande demais pra se espremer entre as árvores. Mas gostaria que não batesse as asas com tanta força... parece um furacão dentro da floresta... ei, olha ali um xale trazido pelo vento!"

CAPÍTULO V.

Apanhou o xale enquanto falava e olhou em volta à procura da proprietária. Logo depois surgiu a Rainha Branca correndo desvairadamente pelo bosque, com os braços abertos como se estivesse voando, e Alice educadamente foi ao seu encontro com o xale.

——Felizmente eu estava por aqui——comentou Alice enquanto a ajudava a colocar o xale.

A Rainha Branca simplesmente olhou-a de modo assustado e desamparado, enquanto repetia em voz baixa para si mesma algo que parecia ser "Pão com manteiga, pão com manteiga". Alice compreendeu que se tinha de haver um diálogo entre ela e a Rainha, ela deveria ter a iniciativa. Assim, começou muito timidamente:

——Estou me dirigindo à Rainha Branca?

——Ah, sim, se você chama isso de dirigir——disse a Rainha. ——Não é a *minha* ideia a esse respeito, de jeito nenhum.

Alice achou que não era conveniente uma discussão logo no começo da conversa, por isso sorriu e disse:

——Se Vossa Majestade me disser a maneira certa de me endereçar, farei o que puder.

——Mas eu não estou querendo nada!——gemeu a pobre Rainha.——Eu mesma estive me adereçando nessas duas últimas horas.

Seria bem melhor, Alice pensou, se alguém orientasse a maneira dela vestir-se, de tal modo estava horrivelmente desmazelada. "Está tudo fora do lugar", pensava Alice, "e ela está cheia de alfinetes."

——Posso endireitar seu xale?——disse em voz alta.

——Não sei o que é que há com ele!——queixou-se a Rainha, numa voz melancólica.——Está de mau humor, eu acho. Alfinetei-o aqui e ali, mas não há jeito de agradá-lo!

——Não pode ficar direito se a senhora prendê-lo de um lado só, entende?——dizia Alice enquanto ajeitava delicadamente o xale.——E, Santo Deus, como está desalinhado seu cabelo!

——A escova ficou presa nele!——disse a Rainha com um suspiro.——E eu perdi meu pente ontem.

Alice desenredou a escova com cuidado e fez o que pôde para pôr o cabelo dela em ordem.

——Veja, agora a senhora está bem melhor! Mas, francamente, acho que a senhora devia ter uma dama de companhia!

——Aceito-a com todo prazer!——disse a Rainha.——Dois *pence* por semana e doce todos os outros dias.

Alice não pôde deixar de rir, enquanto respondia:

——Não estou me candidatando… e não gosto tanto assim de doces.

——É doce de muito boa qualidade——afirmou a Rainha.

——Bom, *hoje*, pelo menos, não estou querendo.

——Hoje você *não* poderia ter, nem pelo menos nem pelo mais ——disse a Rainha.——A regra é: doce amanhã e doce ontem——, e nunca doce *hoje*.

——Algumas vezes *tem* de ser "doce hoje"——objetou Alice.

——Não, não pode——disse a Rainha.——Tem de ser sempre doce todos os *outros* dias: ora, o dia de hoje não é *outro* dia qualquer, como você sabe.

——Não estou entendendo nada——disse Alice.——Está horrivelmente confuso.

——É o resultado de se viver para trás——disse a Rainha com benevolência.——Sempre confunde um pouco a princípio…

——Viver para trás!——repetiu Alice com assombro.——Nunca ouvi falar disso antes!

——…mas há uma grande vantagem nisso, pois a memória pode funcionar nos dois sentidos.

——Quanto à *minha* memória, só funciona num sentido——observou Alice.——Só posso me lembrar de coisas que aconteceram antes.

——É uma pobre espécie de memória, essa, que só funciona para trás——observou a Rainha.

——E a *senhora*, de que tipo de coisas se lembra?——arriscou-se Alice a perguntar.

——Oh, coisas que aconteceram daqui a quinze dias——respondeu descuidadamente a Rainha.——Por exemplo, agora——continuou enquanto fixava um grande pedaço de emplastro no dedo——, há o caso do Mensageiro do Rei. Ele está na prisão, sendo castigado; o julgamento não começará antes de quarta-feira; e o crime, é claro, só virá no fim.

——Vamos dizer que ele não cometa nunca o crime. E então?——sugeriu Alice.

——Então seria ainda melhor, não seria?——disse a Rainha, enquanto fixava o emplastro no dedo com uma fita.

Alice não viu como negar isso.

——É claro que seria melhor ——disse——, mas não seria melhor ele não ser castigado?

——É *aí* que você se engana ——disse a Rainha.——Você nunca foi castigada?

——Sim——respondeu Alice——, mas só quando tive culpa.

——E eu sei que você acha que foi muito melhor assim!——disse a Rainha triunfantemente.

——Sim, mas eu *fiz* as coisas pelas quais fui castigada——explicou Alice.——É nisso que está toda a diferença.

——Mas se você *não tivesse* feito essas coisas——prosseguiu a Rainha——então teria sido ainda melhor; melhor, e melhor, e melhor!——sua voz ficava cada vez mais esganiçada quando dizia "melhor", até virar quase um guincho.

Alice estava começando a dizer "Está havendo algum engano em qualquer parte...", quando a Rainha começou a gritar tão alto que ela teve de interromper a frase.

——Ai! Ai! Ai!——gritava a Rainha, balançando a mão como se quisesse deixá-la cair.——Meu dedo está sangrando! Ai, ai, ai, ai!

Seus gritos pareciam tanto com um apito de trem que Alice teve de tapar os ouvidos com as duas mãos.

——Que foi que houve?——ela disse, assim que teve chance de ser ouvida.——Picou-se no dedo?

——Não me piquei *ainda*——disse a Rainha——, mas será daqui a pouco... ai, ai, ai!

——E quando será isso?——perguntou Alice, sentindo uma vontade doida de rir.

——Quando eu prender meu xale de novo——gemeu a pobre Rainha.——O broche vai-se abrir daqui a pouco. Ai, ai!

Assim que acabou de dizer isso, o broche abriu-se de repente e a Rainha segurou-o freneticamente para tentar fechá-lo.

——Cuidado!——gritou Alice.——A senhora está segurando errado!——e ela mesma tentou endireitar o broche. Mas era tarde: o alfinete tinha saltado e picado o dedo da Rainha.

——Isso explica porque eu estava sangrando——disse ela a Alice, sorrindo.——Agora você está entendendo como as coisas acontecem aqui.

——Mas por que a senhora não está gritando *agora*?——perguntou Alice, preparando-se para tapar de novo os ouvidos.

——Ora, porque já gritei tudo que tinha de gritar——explicou a Rainha.——De que adiantaria fazer tudo outra vez?

A essa altura, o céu começou a clarear.

——O corvo deve ter ido embora——disse Alice.——Que ótimo! Pensei que fosse a noite que estivesse caindo.

——Bem que eu gostaria de estar contente também!——disse a Rainha.——Só que não consigo nunca me lembrar qual é a regra! Você deve ser bem feliz de viver nesse bosque e de ficar contente toda vez que quiser!

——Só que tudo aqui é *tão* solitário!——disse Alice com voz melancólica. E ao pensamento de sua solidão duas grossas lágrimas lhe escorreram pela face.

——Oh, não fique assim!——gritou a pobre Rainha, torcendo

as mãos com desespero. —— Pense só em que grande menina você é! Pense só no longo caminho que você percorreu hoje. Pense só em que horas são. Pense em qualquer coisa, mas não chore!

Alice não pôde deixar de rir, mesmo em meio às lágrimas.

—— E pode-se deixar de chorar só pensando em coisas? —— perguntou.

—— É claro, é assim que se faz —— disse a Rainha com grande firmeza. —— Ninguém pode fazer duas coisas ao mesmo tempo. Vejamos, pra começar, qual é a sua idade... Quantos anos você tem?

—— Sete anos e meio, exatamente.

—— Você não precisa dizer *exatamente* —— observou a Rainha. —— Acredito que você tenha essa idade exatamente agora. E lhe confiarei algo em que você deve acreditar. Tenho exatamente cento e um anos, cinco meses e um dia.

—— Não posso acreditar nisso! —— disse Alice.

—— Não pode? —— disse a Rainha com tom de voz penalizado. —— Tente outra vez: respire profundamente e feche os olhos.

Alice riu.

—— Não adianta fazer isso —— disse ela ——, *ninguém* pode acreditar em coisas impossíveis.

—— Eu diria que você nunca praticou bastante —— disse a Rainha. —— Quando eu tinha a sua idade praticava sempre meia hora por dia. Às vezes me acontecia acreditar em seis coisas impossíveis antes do café da manhã. Lá se vai meu xale outra vez!

O broche abriu-se enquanto ela falava e uma súbita lufada de vento carregou o xale para além de um pequeno riacho. A Rainha abriu os braços de novo e saiu voando atrás do xale, conseguindo dessa vez pegá-lo.

——Peguei!——gritou triunfantemente.——E agora você vai ver que eu mesma vou conseguir prendê-lo outra vez.

——Então, espero que seu dedo agora esteja melhor, não é?——comentou Alice delicadamente enquanto saltava também o pequeno riacho.

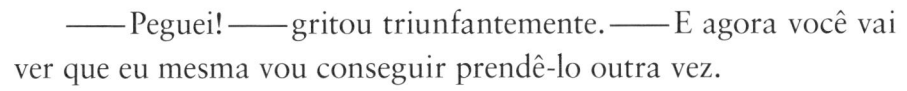

——Oh, muito melhor!——gritou a Rainha, e sua voz se esganiçava à medida que ela prosseguia.——Muito me-élhor! Me-é-lhor! Me-é-é-lhor! Mé-é-é-é!——da última vez a palavra se transformou num longo balido, tão parecido com o de uma ovelha que Alice sobressaltou-se.

Olhou para a Rainha, que parecia ter-se envolvido subitamente em lã. Alice esfregou os olhos e olhou outra vez. Não podia compreender o que se tinha passado. Estava dentro de uma loja? E era realmente… aquilo era realmente uma *ovelha*, sentada do outro lado do balcão? Por mais que esfregasse os olhos, só podia constatar isso: estava dentro de uma pequena loja escura, com os cotovelos apoiados no balcão, e do lado oposto uma velha *ovelha*, sentada numa poltrona, tricotava e de vez em quando levantava a vista para observá-la através de óculos enormes.

——Que deseja?——disse a Ovelha enfim, levantando os olhos do tricô por um momento.

——Ainda não sei bem——disse Alice suavemente.——Gostaria de dar uma olhada em volta primeiro, se me permite.

——Você pode olhar em frente e dos lados, se quiser——disse

a Ovelha——, mas não pode olhar *em volta* de você... a não ser que tenha olhos atrás da cabeça.

Mas isso, ao que parece, Alice *não* tinha. Assim, contentou-se em girar em torno da loja, olhando as prateleiras enquanto se aproximava delas.

A loja parecia cheia de coisas curiosas... mas, o mais estranho de tudo era o seguinte: cada vez que olhava mais demoradamente uma prateleira, para ver o que continha exatamente, esta parecia sempre vazia, enquanto as outras em volta transbordavam de coisas, além de sua capacidade.

——As coisas aqui são tão fugidias!——disse ela por fim em tom queixoso, depois de gastar um ou dois minutos perseguindo um objeto brilhante, que às vezes parecia uma boneca, outras vezes um estojo, e estava sempre na prateleira acima daquela que ela estava olhando. —— E isso é o mais irritante… mas juro que… —— acrescentou enquanto uma ideia lhe cruzava a mente. —— Vou persegui-lo até a prateleira mais alta de todas. Ele vai ficar meio sem jeito quando tiver de furar o teto, aposto!

Mas até esse plano falhou: a "coisa" atravessou o teto com a maior tranquilidade, como se estivesse ali para isso.

—— Você é uma criança ou uma carapeta? —— disse a Ovelha, enquanto apanhava outro par de agulhas. —— Vou terminar ficando tonta de tanto você rodar —— ela estava agora com catorze pares de agulhas de uma vez só, e Alice não podia deixar de contemplá-la com grande estupor.

"Como é que pode tricotar com *tantas* agulhas?", pensou intrigada. "Ela se parece cada vez mais com um porco-espinho."

—— Sabe remar? —— perguntou a Ovelha, estendendo-lhe um par de agulhas de tricô enquanto falava.

—— Sim, um pouco… mas não em seco, nem com agulhas de… —— estava começando a dizer, quando de repente as agulhas se transformaram em remos e ela percebeu que estavam dentro de um pequeno bote, deslizando entre duas ribanceiras: assim, a única coisa que lhe restava fazer era remar o melhor que pudesse.

—— Não empenar! —— gritou a Ovelha, apanhando outro par de agulhas.

Tal exclamação não parecia pedir resposta e por isso Alice ficou calada e continuou remando. Mas aquela água era meio esquisita, pensou, pois de vez em quando os remos ficavam presos nela e era muito difícil levantá-los.

—— Não empenar! Não empenar! —— gritou de novo a Ovelha,

apanhando mais agulhas.——Você vai terminar apanhando um caranguejo nesta caranguejola!

"Um caranguejinho!", pensou Alice. "Bem que eu gostaria".

——Não me ouviu dizer "Não empenar"?——gritou a Ovelha furiosamente, apanhando um feixe inteiro de agulhas.

——Ouvi sim——disse Alice.——A senhora disse várias vezes… e bem alto. Por favor, *onde* é que estão os caranguejos?

——Dentro d'água, é claro!——disse a Ovelha, enfiando algumas agulhas no cabelo, pois as mãos estavam cheias. ——Não empenar, repito!

——Por que a senhora diz "Não empenar" tantas vezes?——perguntou Alice, já meio enfadada.——Não sou nenhuma ave.

——É sim——disse a Ovelha——, você é uma patinha boba.

Isso ofendeu Alice um pouco, e assim a conversa parou durante um ou dois minutos, enquanto o bote deslizava suavemente, às vezes entre bancos de ervas aquáticas (o que fazia os remos ficarem mais presos ainda do que antes) e às vezes sob árvores, mas sempre entre as mesmas altas ribanceiras que se erguiam severas acima de suas cabeças.

——Ah, por favor! Veja aqueles juncos perfumados!——gritou Alice, subitamente extasiada.——Lá estão eles… e como são lindos!

——Você não precisa dizer "por favor" a *mim* por causa dos juncos——disse a Ovelha sem levantar a vista do seu tricô.——Não fui eu que os coloquei ali, nem sou eu que vou retirá-los.

——Não, eu quis dizer… por favor, será que podíamos colher alguns?——suplicou Alice.——A senhora não se importa de parar o bote um minuto?

——Como é que *eu* vou parar o bote?——disse a Ovelha.—— Se você deixar de remar, ele para por si mesmo.

Alice deixou o bote seguir à deriva na corrente e deslizar suavemente entre os juncos ondulantes. Enrolou então suas pequenas mangas cuidadosamente e mergulhou seus pequenos braços até os cotovelos, a fim de segurar os juncos bem fundo antes de arrancá-los… E por algum tempo Alice esqueceu-se de tudo, da Ovelha e do tricô, enquanto inclinava-se na borda do barco, com a ponta dos cabelos emaranhados mergulhando na água, os olhos ávidos e brilhantes, colhendo braçadas e braçadas dos adoráveis juncos perfumados.

"Só espero que o bote não afunde!", disse para si mesma. "Oh, mas *que* maravilha aquele! Só que não posso pegá-lo." E certamente parecia *meio* irritante ("quase como se fosse de propósito", pensou) que, por mais que colhesse braçadas de belos juncos enquanto o bote deslizava, sempre havia um mais atraente que não conseguia alcançar.

——Os mais bonitos estão sempre mais longe!——disse por fim, com um suspiro resignado, diante da obstinação dos juncos que cresciam tão longe dela. Com as faces avermelhadas e as mãos e cabelos molhados, engatinhou de volta ao seu lugar e começou a arranjar os seus recém-achados tesouros.

Que lhe importava agora que os juncos, desde o exato momento em que os tinha colhido, tivessem começado a murchar e perder seu perfume e beleza? Até mesmo os verdadeiros juncos perfumados, como se sabe, duram muito pouco tempo… E esses, que eram juncos de sonho, derretiam-se quase como se fossem neve, enquanto jaziam em feixes a seus pés. Mas Alice mal notava isso, pois havia tantas coisas curiosas em que pensar.

O bote não tinha avançado muito quando a pá de um dos remos ficou presa na água e não *quis* mais sair (assim explicou Alice depois). Em consequência, o cabo do remo atingiu seu queixo e, apesar dos "Ai, ai, ai" da pobre Alice, varreu-a do assento e derrubou-a bem no meio do feixe de juncos.

Entretanto, ela não se machucou nem um pouco e logo estava sentada outra vez no banco. A Ovelha continuou tricotando o tempo todo como se nada tivesse acontecido.

——Que lindo caranguejo, hein?——comentou ela enquanto Alice engatinhava de costas para o seu lugar, aliviada de ainda estar dentro do bote.

——Onde? Não vi——disse Alice, espreitando cautelosamente por sobre a borda do barco a água escura.——Que pena ter escapado... gostaria tanto de levar um caranguejinho pra casa!——mas a Ovelha limitou-se a rir zombeteiramente e continuou a tricotar.

——Tem muitos caranguejos aqui?——indagou Alice.

——Caranguejos e toda espécie de coisas——respondeu a Ovelha.——O sortimento é variado, só depende de escolher. Que deseja comprar?

——Comprar!——ecoou Alice meio atônita... e meio assustada, pois remos, bote, rio, tudo se esvaíra num instante, e ela estava de volta à pequena loja escura.

——Gostaria de comprar um ovo, por favor——disse timidamente.——Por quanto vende?

——Cinco *pence* por um e dois *pence* por dois——respondeu a Ovelha.

——Então dois são mais baratos do que um?——perguntou Alice surpreendida, puxando sua bolsinha.

——Só que se comprar dois *tem* de comê-los.——disse a Ovelha.

——Então deixe ver *um*, por favor——disse Alice, colocando o dinheiro no balcão. "Podem não estar muito frescos", pensou.

A Ovelha apanhou o dinheiro e guardou-o numa caixa, dizendo a seguir:

——Nunca coloco as coisas nas mãos dos clientes. Isso não seria próprio. Você mesma é que tem de pegar——e dizendo isso foi até o outro extremo da loja e colocou o ovo em cima de uma prateleira.

"Gostaria de saber *por que* não seria próprio", pensou Alice, enquanto tateava por entre mesas e cadeiras, pois o fundo da loja estava muito escuro. "O ovo parece se afastar, quanto mais eu avanço. Que é isso aqui, uma cadeira? Ora essa, tem galhos, juro que tem! Que coisa esquisita ter árvores aqui dentro! E isso aqui, é um riacho? Parece que é. Realmente, essa é a loja mais estranha que já vi!"

E assim continuou, espantando-se cada vez mais, pois as coisas todas se transformavam em árvore assim que ela se aproximava, e estava completamente convencida de que o ovo faria o mesmo.

CAPÍTULO VI.

HUMPTY DUMPTY.

Todavia, o ovo apenas tornou-se cada vez maior e cada vez mais semelhante a um ser humano: quando estava só a poucos metros de distância, Alice notou que ele tinha olhos, nariz e boca. E ao chegar mais perto viu que era o próprio HUMPTY DUMPTY. "Não pode ser ninguém mais!", disse consigo. "Estou tão certa disso que é como se o nome estivesse escrito na cara dele!"

Poderia ser escrito centenas de vezes, facilmente, em cara tão enorme. Humpty Dumpty estava sentado, com as pernas cruzadas *à la* turca, em cima de um alto muro——tão estreito que Alice se perguntava como ele podia manter o equilíbrio——, e, como os seus olhos se fixassem inabalavelmente em direção oposta, sem tomar o menor conhecimento da presença dela, Alice pensou que se tratasse de um boneco empalhado.

——Como parece igualzinho a um ovo!——disse em voz alta, com as mãos prontas para apanhá-lo, tanto esperava a sua queda a qualquer momento.

——É *tremendamente* irritante——murmurou Humpty Dumpty após longo silêncio e sem fitar Alice enquanto falava——ser chamado de ovo… muito mesmo!

——Eu disse, cavalheiro, que o senhor *parecia* com um

ovo——explicou ela gentilmente.——E há ovos muito lindos, sabe?——acrescentou, com esperanças de que o seu comentário se transformasse numa espécie de elogio.

——Certas pessoas——disse Humpty Dumpty, desviando dela a vista como de costume——parecem não ter mais entendimento do que um bebê!

Alice não soube o que responder a tal observação: aquilo não era bem uma conversa, pensou, pois ele jamais se dirigira a *ela*. De fato, o último comentário tinha sido dirigido evidentemente a uma árvore... Portanto, permaneceu quieta e repetiu baixinho para si mesma:

> Humpty Dumpty em um muro se sentou,
> Humpty Dumpty lá de cima despencou.
> Erguê-lo não podem os cavalos do rei, nem
> Mesmo todos os cavaleiros do rei, também.

"O último verso parece longo demais para o resto da poesia", observou quase em voz alta, esquecendo-se de que Humpty Dumpty poderia ouvi-la.

——Não fique aí engrolando as coisas desse jeito——disse Humpty Dumpty, olhando para ela pela primeira vez——, mas diga logo qual é o seu nome e a sua ocupação.

——Meu *nome* é Alice, mas...

——É um nome bastante idiota!——interrompeu Humpty Dumpty com impaciência.——Que significa?

——*Deve* um nome significar alguma coisa?——perguntou Alice, cheia de dúvida.

——Claro que deve——respondeu Humpty Dumpty com um risinho.——O *meu* nome significa a forma que tenho——e que é, aliás, uma forma bem atraente. Com um nome como o seu, você pode ter qualquer forma.

——Por que o senhor está sentado aí tão sozinho?——indagou Alice, sem querer iniciar uma discussão.

——Ora essa, porque não tem ninguém aqui comigo!——gritou Humpty Dumpty.——Pensou que eu não saberia responder esta, hein? Pergunte outra.

——Não acha que ficaria mais seguro aqui no chão?——continuou Alice, sem a menor ideia de propor outra charada, mas simplesmente porque sua natural boa índole a tornava inquieta quanto à segurança da estranha criatura.——Esse muro é *tão* estreito!

——Você propõe adivinhas tremendamente fáceis!——resmungou Humpty Dumpty.——É claro que não acho nada disso! Ora, *se* alguma vez eu viesse a cair deste muro——e não há a menor possibilidade…mas, *se* acontecesse, se…

Nesse ponto franziu os lábios, parecendo tão solene e pomposo que Alice mal pôde conter o riso.

——*Se* acontecesse eu cair——prosseguiu——, *o Rei me prometeu…* Ah, pode empalidecer se quiser! Não imaginava que eu ia dizer isso, imaginava? *O Rei me prometeu…ele mesmo, pessoalmente, que…que…*

——Que mandaria todos os seus cavalos e cavaleiros——interrompeu Alice, um tanto impensadamente.

——Ah, não! Essa é forte, essa é demais!——gritou Humpty Dumpty, preso de súbita ira.——Você andou escutando atrás das portas…e atrás das árvores…e escondida nas chaminés…do contrário não poderia saber nada disso!

——Não, juro que não!——explicou Alice, muito cordata.—— Li num *livro.*

——Ah, bom. Pode ser que escrevam tais coisas num livro ——reconheceu Humpty Dumpty, mais apaziguado. ——É o que chamam de história pátria, é isso. Agora, olhe bem pra mim! Sou uma pessoa que falou com o Rei, eu pessoalmente. Pode ser que você jamais veja outro assim. E pra lhe mostrar que não sou nenhum orgulhoso, pode apertar minha mão! ——e aqui rasgou a boca num sorriso que ia de uma orelha a outra, inclinando-se para a frente (pouco faltando para uma possível queda do muro) e estendendo a mão para Alice. Ela segurou-a, olhando para ele um tanto apreensiva. "Se sorrir mais um pouco", pensou, "os dois cantos da boca vão se encontrar atrás. E *aí* não sei o que pode acontecer com a sua cabeça. É capaz de cair."

——Sim, todos os seus cavalos e cavaleiros——continuou Humpty Dumpty.——Eles me levantariam no mesmo instante, *pode* estar certa! Mas, essa conversa está indo um pouco rápido demais: voltemos à nossa penúltima observação.

——Acho que não me lembro muito bem——desculpou-se Alice com toda a polidez.

——Nesse caso podemos recomeçar a partir do zero——disse Humpty Dumpty——e é a minha vez de escolher um assunto... ("Ele fala exatamente como se isso fosse algum jogo!", pensou Alice.)——Portanto, eis uma pergunta para você: quantos anos *você* disse que tinha?

Alice fez um rápido cálculo e respondeu:

——Sete anos e seis meses.

——Errado!——exclamou Humpty Dumpty triunfantemente. —— Você jamais disse coisa parecida.

——Pensei que o senhor queria dizer "Que idade você *tem*?"

——Se eu quisesse dizer isso, teria dito——disse Humpty Dumpty.

Alice não queria começar outra discussão e portanto ficou calada.

——Sete anos e seis meses!——repetiu Humpty Dumpty pensativamente.——Uma idade bastante incômoda. Se tivesse pedido o *meu* conselho, eu diria: "Pare nos sete". Mas agora é tarde demais.

——Nunca peço conselhos sobre o meu crescimento——disse Alice indignada.

——Orgulhosa demais?

Tal insinuação indignou Alice mais ainda.

——Quero dizer——explicou——que uma pessoa não pode deixar de ficar mais velha.

——*Uma* não pode, talvez——disse Humpty Dumpty——, mas *duas* podem. Com assistência adequada, você poderia ter parado nos sete.

——Mas que cinto bonito o senhor tem!——observou Alice de repente. (Já tinham falado demais do assunto idade, ela pensou, e se de fato deviam escolher assuntos por turno, era a *sua* vez agora).

——Ou melhor——corrigiu-se depois de refletir um pouco——: que bela gravata, eu devia dizer... não, um cinto, isto é... oh, mil perdões!——exclamou consternada, ao ver que Humpty Dumpty parecia totalmente ofendido (e como ela gostaria de não ter escolhido tal assunto!). "Se ao menos eu soubesse", pensou consigo, "o que é pescoço e o que é cintura nele!"

Humpty Dumpty estava evidentemente furioso, pois não disse palavra durante um ou dois minutos. Quando voltou a falar, foi num murmúrio profundo.

——É algo... *profundamente irritante*——disse por fim—— que alguém não saiba distinguir uma gravata de um cinto!

——Sei que é muita ignorância minha——replicou Alice, num tom tão humilde que Humpty Dumpty aplacou-se.

——É uma gravata, criança, e muito bonita, como você disse. Foi presente do Rei e da Rainha Branca. E agora, que me diz?

——É verdade?——disse Alice, contentíssima de ver que, no fim de contas, *tinha* escolhido um bom assunto.

——Eles me deram isso——continuou Humpty Dumpty pensativamente, enquanto cruzava um joelho sobre o outro e colocava em torno deles as mãos entrelaçadas——como presente de não aniversário.

——O quê, me desculpe?——indagou Alice, perplexa.

——Não estou ofendido——disse Humpty Dumpty.

——Quer dizer, o que é um presente de não aniversário?

——Um presente dado quando não é nosso aniversário, é claro.

Alice refletiu um pouco.

——Acho que gosto mais de presentes de aniversário——concluiu finalmente.

——Você não sabe o que está dizendo!——gritou Humpty Dumpty.——Quantos dias tem um ano?

——Trezentos e sessenta e cinco dias——disse Alice.

——E quantos aniversários você tem?

——Um só.

——E se você tira um de trezentos e sessenta e cinco, quanto fica?

——Trezentos e sessenta e quatro, é claro.

Humpty Dumpty pareceu hesitar.

——Eu preferiria ver essa conta no papel——declarou.

Alice não pôde reprimir um sorriso enquanto tirava o seu caderninho de notas e escrevia a subtração para ele ver.

$$\begin{array}{r} 365 \\ -1 \\ \hline 364 \end{array}$$

Humpty Dumpty pegou o caderninho e contemplou-o cuidadosamente.

——*Parece* que está certo...——começou a dizer.

——O senhor está segurando de cabeça pra baixo——interrompeu Alice.

——Claro que estou!——disse Humpty Dumpty jovialmente, enquanto virava o caderninho.——Bem que me pareceu meio esquisito. Como eu estava dizendo, *parece* que a conta está certa, embora não tenha tido tempo de examiná-la a fundo, e isso mostra que você tem trezentos e sessenta e quatro dias para ganhar presentes de não aniversário...

——Certo——reconheceu Alice.

——E só *um* para presentes de aniversário, como vê. Eis a glória para você.

——Não sei bem o que o senhor entende por "glória"——disse Alice.

Humpty Dumpty sorriu com desdém.

——Claro que você não sabe, até eu lhe dizer. O que quero dizer é: "eis aí um argumento arrasador para você".

——Mas "glória" não significa "um argumento arrasador" ——objetou Alice.

——Quando *eu* uso uma palavra——disse Humpty Dumpty em tom escarninho——ela significa exatamente aquilo que eu quero que signifique... nem mais nem menos.

——A questão——ponderou Alice——é saber se o senhor *pode* fazer as palavras dizerem coisas diferentes.

——A questão——replicou Humpty Dumpty——é saber quem é que manda. É só isso.

Alice ficou desconcertada demais para dizer qualquer coisa, e assim, depois de um minuto, Humpty Dumpty recomeçou:

——Algumas palavras têm mau gênio, especialmente os verbos, que são os mais orgulhosos. Os adjetivos, você pode fazer o que quiser com eles, mas não com os verbos... Contudo, posso dominar todos! Impenetrabilidade! É o que eu digo.

——O senhor poderia me dizer, por favor——perguntou Alice ——, o que isso significa?

——Ah, agora você fala como uma criança sensata——disse

Humpty Dumpty, parecendo muito satisfeito.——Por "impenetrabilidade" eu quis dizer que já falamos demais desse assunto e não seria mau se você dissesse o que tem a intenção de fazer logo depois, supondo-se que não pretende ficar aqui o resto da vida.

——É muita coisa para uma palavra só dizer——disse Alice com uma inflexão pensativa.

——Quando faço uma palavra trabalhar tanto assim——explicou Humpty Dumpty——, pago sempre extra.

——Oh!——exclamou Alice. Estava desorientada demais para fazer qualquer outro comentário.

——Ah, você devia ver como elas me rodeiam num sábado à noite —— continuou Humpty Dumpty balançando a cabeça gravemente de um lado para o outro.——Pra receberem os seus salários, é claro.

(Alice não se arriscou a perguntar com que ele lhes pagava, e nem mesmo eu saberia dizê-lo.)

——O senhor parece ter muita habilidade para explicar o sentido das palavras——disse Alice.——Podia me fazer a gentileza de explicar o sentido do poema "Jaguadarte"?

——Vamos ver isso——disse Humpty Dumpty.——Posso explicar todos os poemas que já foram inventados…e boa parte dos que ainda não foram inventados.

Isso parecia bastante promissor. Assim, Alice repetiu os primeiros versos do "Jaguadarte":

> Era briluz. As lesmolisas touvas
> Roldavam e relviam nos gramilvos
> Estavam mimsicais as pintalouvas
> E os momirratos davam grilvos.

— Basta, pra começar — interrompeu Humpty Dumpty. —
Há uma porção de palavras intrincadas aqui. "Briluz" significa o
brilho da luz às quatro horas da tarde, quando se passa a cena des-
crita nos versos.

— Agora ficou claro — disse Alice. — E "lesmolisas"?

— Ora, significa "lisas como lesmas". Veja bem, é uma palavra-
-valise: dois significados embrulhados numa palavra só.

— Ah, estou entendendo — comentou Alice pensativamente.
— E o que são "touvas"?

— Bom, as "touvas" têm algo de toupeiras, algo de lagartos
e algo de saca-rolhas, e têm pelos espetados como escovas.

— Devem ser bichos muito esquisitos.

— E são — disse Humpty Dumpty. — Fazem ninhos nos
relógios de sol e se alimentam de queijo.

— E o que é "roldavam" e "relviam"?

— "Roldavam" significa que os bichos rodavam em roldão e
"relviam" que eles se revolviam na relva. "Roldar" também pode
ser girar como uma roldana.

— E "gramilvos", aposto, devem ser os tufos de grama planta-
dos em torno dos relógios de sol, onde se ouvem os silvos das serpen-
tes — disse Alice, espantada com a sua própria sagacidade.

— Exatamente, é isso. Quanto a "mimsicais" significa "mimo-
sas e musicais", e aí tem você outra palavra-valise. E "pintalou-vas"
são aves canoras meio pintassilgos e meio louva-a-deus.

— E "momirratos", que é? — perguntou Alice. — Espero
que não esteja lhe dando muito trabalho.

— Bom, "ratos" não precisa explicar. Mas "momi" não sei
bem o que é. Talvez venha de "momices", isto é, caretas e tre-
jeitos. E lembra também as festas de momo, o carnaval. Assim,

"momirratos" talvez sejam ratos careteiros ou carnavalescos, o que vem a dar no mesmo.

——E o que quer dizer "grilvos"?

——Penso que deve ser uma mistura de gritos com silvos bem agudos, com algo pelo meio parecido com o chilro dos grilos.

Aliás, você ouvirá esse som em breve, talvez lá na floresta. E ao ouvi-lo, ficará muito *satisfeita*, creio. Quem recitou coisas tão complicadas para você?

——Li num livro——disse Alice.——Mas já me recitaram coisas mais fáceis do que isso… acho que foi Tweedledee.

——Quanto à poesia——disse Humpty Dumpty, esticando uma das suas grandes mãos——, posso recitar melhor do que ninguém…

——Oh, ninguém duvida disso!——apressou-se Alice a dizer, na esperança de detê-lo desde o começo.

——O poema que vou declamar——prosseguiu ele sem nem se dignar ouvir o comentário dela——foi escrito unicamente para deleitá-la.

Diante disso, Alice sentiu que *tinha* realmente de ouvi-lo, e sentou-se, tristemente resignada, dizendo:

——Muito obrigada.

> No inverno, quando o branco é tanto,
> Canto este canto com encanto.

——Só que não estou cantando isso——ele explicou.

——Estou vendo que não——disse Alice.

——Se você pode *ver* se estou cantando ou não, então você tem olhos mais agudos do que todo mundo——observou Humpty Dumpty severamente. Alice ficou calada.

> Quando floresce a primavera,
> Direi o que ninguém espera.

——Obrigada pelo aviso——disse Alice.

> No verão, quando é longo o dia,
> Talvez se entenda a melodia.
>
> No outono, quando a folha cai,
> Com pena e tinta registrai!

——Vou fazer isso, se me lembrar daqui até lá——disse Alice.

——Não me venha com tiradas desse tipo——advertiu Humpty Dumpty.——Não têm pé nem cabeça e me atrapalham.

> Eu mandei um recado aos peixes.
> Disse-lhes: "Este é o meu desejo."
>
> E eis que os peixinhos lá do mar
> Me responderam sem tardar.
>
> A resposta dos peixes foi:
> "Impossível, meu caro, pois…"

——Acho que não estou entendendo bem——comentou Alice.

——Depois fica mais fácil——replicou Humpty Dumpty.

> Eu lhes mandei então dizer:
> "Será melhor me obedecer."
>
> A resposta veio a seguir:
> "Ora, é favor não insistir."
>
> Disse-lhes uma, duas, três,
> Mas empacaram de uma vez.

Peguei uma chaleira quente,
Própria para o que eu tinha em mente.

Meu coração batia à louca,
Enchi a chaleira até a boca.

Então alguém disse sorrindo:
"Os peixes já estão dormindo."

Eu respondi em termos claros:
"Pois então trate de acordá-los."

Eu disse firme e decidido,
Eu fui e lhe gritei no ouvido.

Ao recitar essa estrofe, Humpty Dumpty elevou tanto a voz, quase como se fosse um guincho, que Alice pensou, estremecendo: "Por *nada* no mundo eu queria ser esse mensageiro".

Mas ele era orgulhoso e cauto
E disse: "Não fale tão alto!"

E ele era tão cheio de si
Que disse: "Eu vou buscá-los, se…"

Saquei então de um saca-rolhas
E fui eu mesmo atrás das bolhas.

E ao ver a porta já cerrada,
Bati, toquei, topei——que nada!

E ao ver a porta ali, zás-trás,
Girei a maçaneta, mas…

Houve então um longo silêncio.

——É só?——perguntou Alice timidamente.

——É só!——respondeu Humpty Dumpty.——Adeus!

Aquilo era brusco demais, pensou Alice. Mas, depois de uma insinuação tão clara para ela se retirar, viu que não seria muito educado permanecer. Levantou-se e estendeu a mão:

——Adeus, até mais vê-lo!——disse tão cordialmente quanto pôde.

——Não vou poder reconhecê-la, *se* nos encontrarmos outra vez——respondeu Humpty Dumpty em tom desgostoso, enquanto lhe estendia um dos seus dedos para ela apertar.——Você é tão exatamente igual a todo mundo.

——Em geral, é pelo *rosto* que se reconhece as pessoas——observou Alice em tom pensativo.

——É disso mesmo que estou me queixando——explicou Humpty Dumpty.——Sua cara é tão igual à de todo mundo... tem dois olhos (marcando o lugar dos olhos no ar com o dedo), o nariz está no meio, a boca embaixo. É sempre a mesma coisa. Agora, se você tivesse os dois olhos do mesmo lado do nariz, por exemplo... ou a boca em cima... isso poderia ajudar *um pouco*.

——Não seria nada bonito——objetou Alice. Mas Humpty Dumpty apenas fechou os olhos e disse:

——Espere só até ter experimentado.

Alice aguardou um minuto para ver se ele falava outra vez. Mas, como ele nem abrisse os olhos nem tomasse mais conhecimento da presença dela, repetiu:

——Adeus!

Como não viesse resposta, afastou-se silenciosamente. Mas não pôde deixar de dizer para si mesma: "De todas as pessoas insatisfatórias..." (e repetiu bem alto pelo prazer de ter uma palavra tão comprida para dizer)... "De todas as pessoas insatisfatórias que *jamais* encontrei..." Não conseguiu terminar a frase, pois nesse momento um pesado estrondo abalou a floresta de ponta a ponta.

CAPÍTULO VII.

O LEÃO E O UNICÓRNIO.

Logo depois surgiram soldados correndo através do bosque, primeiro em grupos de dois ou três, depois de dez ou vinte, e por fim em tal multidão que pareciam encher a floresta inteira. Alice escondeu-se atrás de uma árvore, temendo ser pisoteada, e ficou olhando-os passar.

Pensou que em sua vida inteira jamais vira soldados tão sem equilíbrio: tropeçavam sempre em alguma coisa, e cada vez que um deles caía, vários outros tombavam por cima. De tal modo que em pouco tempo o chão estava coberto de montículos de soldados.

Chegaram, então, os cavalos. Tendo quatro pernas, por força se equilibravam melhor do que os soldados da infantaria. Mas, mesmo assim, tropeçavam de vez em quando, e parecia ser uma regra normal que, ao tropeçar um cavalo, o cavaleiro deveria cair de imediato. A confusão ficava cada vez pior, e Alice suspirou aliviada ao entrar numa clareira, onde encontrou o Rei Branco sentado no chão, muito ocupado em anotar coisas em sua agenda.

——Mandei todos!——gritou o Rei, visivelmente deleitado, ao avistar Alice.——Por acaso encontrou-se com soldados, minha querida, ao atravessar o bosque?

——Sim, encontrei——respondeu.——Alguns milhares, eu acho.

——Quatro mil duzentos e sete, é a conta exata——disse o Rei, olhando para o caderno de notas.——Eu não podia mandar todos os cavalos, você sabe, porque dois deles ainda estão participando do jogo. E também não pude mandar os dois mensageiros. Foram para a cidade. Dê uma olhada na estrada e veja se pode avistar algum deles.

——Ninguém está vindo na estrada——disse Alice.

——Ah, só queria ter olhos assim——observou o Rei, em tom rabugento.——Capazes de ver Ninguém! E a tal distância! Ora, o *máximo* que consigo é ver alguém de verdade.

Alice não pôde escutar nada disso, pois ainda estava, com a mão em pala sobre os olhos, observando a estrada.

——Agora estou avistando alguém!——exclamou finalmente.—— Mas está vindo muito devagar... e tem maneiras meio esquisitas! ——pois o Mensageiro, de fato, vinha dando pulos, contorcendo-se como uma enguia enquanto andava, e tinha as grandes mãos espalmadas de cada lado, como se fossem leques.

——Esquisitas? Não——disse o Rei——, ele é um Mensageiro anglo-saxão, e aquelas são maneiras anglo-saxônicas. Ele só faz isso quando está com humor. Seu nome é Hagar——pronunciou a última palavra de modo a rimar com H.

——Eu amo o meu amado com um H——Alice não resistiu a dizer——porque ele tem muito Humor. Odeio-o com um H, porque é Horrível. Eu o alimento com... com... com Hambúrguer. Seu nome é Hagar e ele mora em...

——Ele mora num Hotel——ajuntou o Rei com ingenuidade, sem a menor ideia de que estava tomando parte no jogo, enquanto Alice ainda hesitava em achar o nome de uma cidade começando com H. ——O outro Mensageiro se chama Hatta. Tenho de ter *dois*, compreende? Um para voltar e outro para ir.

——Perdão!

——Perdoar o quê?——disse o Rei.

——Eu quis dizer que não entendo——explicou Alice.——Por que um para voltar e outro para ir?

——Não já lhe expliquei?——resmungou o Rei com impaciência.——Tenho de ter *dois*... para trazer e levar. Um para trazer e outro para levar.

Nesse instante o Mensageiro chegou: estava completamente sem fôlego para poder falar qualquer coisa e contentou-se em gesticular, agitando as mãos e fazendo as mais medonhas caretas para o pobre Rei.

——Esta senhorita o ama com um H——disse o Rei, apresentando Alice, com a esperança de desviar de si a atenção do Mensageiro. Mas foi inútil: as maneiras anglo-saxônicas tornaram-se ainda mais extravagantes, enquanto os grandes olhos do Mensageiro giravam de um lado para o outro nas órbitas.

——Você me assusta!——disse o Rei.——Estou quase desmaiando. Me dê um hambúrguer.

Imediatamente o Mensageiro, para grande divertimento de Alice, abriu uma sacola pendurada no pescoço e de lá tirou um sanduíche para o Rei, que o devorou avidamente.

——Outro sanduíche!——disse o Rei.

——Não há mais nada, a não ser hortelã——disse o Mensageiro, esquadrinhando a sacola.

——Hortelã, então——murmurou o Rei, quase desmaiando. Alice ficou satisfeita ao ver que isso o revigorava.——Não há nada como hortelã quando se está desmaiado——ele observou, enquanto mastigava ruidosamente.

——Eu pensava que jogar água fria em cima fosse melhor——insinuou Alice——ou aspirar sais voláteis.

——Eu não disse que não havia nada *melhor*——replicou o Rei.——Eu disse que não havia nada *como*——o que Alice não ousou contestar.

——Por quem você passou pela estrada?——continuou o Rei, enquanto estendia a mão para o Mensageiro pedindo mais hortelã.

——Ninguém——respondeu o Mensageiro.

——Certo, certo——disse o Rei.——Esta jovem aqui também o viu. Sem dúvida Ninguém anda mais devagar do que você.

——Faço o que posso——disse o Mensageiro amuado.——Estou certo de que ninguém anda mais depressa do que eu!

——Não pode andar mais depressa——disse o Rei——, senão teria chegado aqui antes de você. Seja como for, agora que você recobrou o fôlego conte-nos o que aconteceu na cidade.

——Vou sussurrar——disse o Mensageiro, levando à boca as mãos em forma de trombeta e curvando-se sobre o ouvido do

Rei. Alice ficou decepcionada, pois também queria ouvir as notícias. Entretanto, ao invés de sussurrar, simplesmente gritou o mais alto que pôde:

——Estão se engalfinhando outra vez!

——É *isso* que você chama sussurro!——gritou o pobre Rei, saltando e estremecendo.——Se fizer tal coisa outra vez mando assá-lo na manteiga. Atravessou minha cabeça de ponta a ponta como se fosse um terremoto!

"Haveria de ser um terremoto bem chinfrim!", pensou Alice.

—— Quem está se engalfinhando outra vez?——arriscou-se a perguntar.

——Ora essa, o Leão e o Unicórnio, é claro——disse o Rei.

——Lutando pela coroa?

——Sim, naturalmente——respondeu o Rei.——E o mais engraçado de tudo é que é sempre a *minha* coroa. Vamos vê-los, depressa.

E saíram a correr afobados. Enquanto corria, Alice repetia para si mesma as palavras da velha canção:

> O Leão e o Unicórnio se batem pela coroa
> E pela cidade toda levantam pó à toa.
> Alguns lhes dão pão branco e outros lhes dão broa:
> Mas o som dos tambores que os expulsa ecoa.

——E quem... ganha... fica com a coroa?——perguntou, articulando as palavras como podia, pois a corrida estava tirando seu fôlego.

——Deus meu, não!——disse o Rei.——Que ideia!

——Quer ter... a bondade...——arquejou Alice, depois de correr mais um pouco——... de parar um minuto... só pra respirar?

——Eu posso ter a *bondade*——respondeu o Rei——, mas não

tenho *forças*. É que um minuto vai tão depressa. É o mesmo que tentar parar um Babassurra!

Alice não tinha mais fôlego para falar. Assim, correu em silêncio, até que os três chegaram a um ponto em que se juntava uma grande multidão, no meio da qual o Leão e o Unicórnio estavam lutando. Tal era a nuvem de pó em torno deles que a princípio Alice não pôde distinguir quem era quem. Mas logo conseguiu avistar o Unicórnio por causa do chifre.

Colocaram-se ao lado de Hatta, o outro Mensageiro, que estava de pé olhando a luta, uma xícara de chá numa mão e um pedaço de pão com manteiga na outra.

—— Ele acaba de sair da prisão e ainda não tinha terminado o chá quando lá entrou —— murmurou Hagar para Alice. —— Lá dentro só lhe davam conchinhas de ostras… portanto, como você vê, ele está morto de fome e de sede. —— Como vai você, meu filho? —— continuou em voz alta, passando o braço afetuosamente em volta do pescoço de Hatta.

Hatta voltou-se, inclinou a cabeça cumprimentando e continuou a mastigar seu pão com manteiga.

——Estava contente na prisão, meu filho?——perguntou Hagar.

Hatta voltou-se outra vez e uma ou duas lágrimas lhe rolaram pela face: mas não disse palavra.

——Fala, ficou mudo?——gritou Hagar com impaciência. Mas Hatta não fez mais do que mastigar e beber um pouco mais de chá.

——Vai falar ou não?——gritou o Rei.——Como estão se saindo na luta?

Com esforço desesperado, Hatta engoliu um grande pedaço de pão com manteiga.

——Estão indo muito bem——falou em voz sufocada.—— Cada um já foi derrubado cerca de oitenta e sete vezes.

——Nesse caso, vão trazer o pão branco e o pão preto, não é? ——arriscou-se Alice a comentar.

——O pão está à espera deles——disse Hatta.——É um pedaço dele que estou comendo.

Nesse exato momento ocorreu uma pausa na luta, e o Leão e o Unicórnio sentaram-se, ofegantes, enquanto o Rei anunciava:

——Dez minutos de trégua para os refrescos!

Hagar e Hatta apressaram-se então a circular bandejas de pão branco e pão preto. Alice tirou uma fatia para experimentar, mas achou o pão *terrivelmente* seco.

——Acho que hoje eles não vão lutar mais——disse o Rei para Hatta.——Ordene aos tambores para começar.

E Hatta se foi, aos pulinhos como um gafanhoto.

Durante um ou dois minutos Alice ficou silenciosa, olhando-o afastar-se. Subitamente seu rosto iluminou-se:

——Veja! Veja!——gritou, apontando com animação——Lá vai a Rainha Branca correndo pelo campo. Ela saiu da floresta lá atrás... Meu Deus! *Como* correm essas rainhas!

——Tem algum inimigo atrás dela, sem dúvida——comentou o Rei, sequer se dignando a olhar.——A floresta está cheia deles.

——Mas o senhor não vai lá socorrê-la?——perguntou Alice, muito surpreendida de vê-lo tão tranquilo.

——É inútil, é inútil!——disse o Rei.——Ela corre terrivelmente depressa. É o mesmo que tentar pegar um Babassurra! Mas farei uma anotação a respeito disso, se você quiser... Ela é uma pessoa tão adoravelmente boa——disse com ternura enquanto abria seu caderninho de notas.——Pessoa se escreve com dois ss?

Nesse momento o Unicórnio, as mãos nos bolsos, aproximou-se deles com ar displicente.

——Desta vez fui eu que levei a melhor——disse, olhando o Rei de esguelha enquanto passava.

——Mais ou menos... mais ou menos——respondeu o Rei, um pouco nervoso.——Mas você não devia atravessá-lo com o chifre, sabe disso.

——Não cheguei a feri-lo——disse o Unicórnio descuidadamente, e ia continuar quando seus olhos caíram por acaso sobre Alice. Voltou-se instantaneamente e ficou algum tempo olhando para ela com um ar da mais profunda repulsa.

——O que é... isso?——disse finalmente.

——Isso é uma criança!——disse Hagar pressurosamente, colocando-se diante de Alice para apresentá-la e estendendo as mãos na direção dela, numa atitude tipicamente anglo-saxônica.——Nós a achamos hoje mesmo. É do tamanho natural e duas vezes mais verdadeira.

——Sempre pensei que fossem monstros fabulosos!——disse o Unicórnio.——Está viva?

——Isso fala——disse Hagar solenemente.

O Unicórnio contemplou Alice sonhadoramente, e disse:

——Fala, criança.

Alice não pôde deixar de esboçar um sorriso enquanto dizia:

——Sabe? Sempre pensei, também, que os Unicórnios fossem monstros fabulosos! Nunca tinha visto um antes!

——Está bem, *agora* que nos vimos um ao outro——disse o Unicórnio——, se você acreditar em mim, acreditarei em você. Negócio fechado?

——Sim, se isso lhe agrada.

——Vamos lá, meu velho, mande buscar a torta de ameixas!—— continuou o Unicórnio, dirigindo-se ao Rei.——Nada de pão preto pra mim!

——É claro... é claro!——resmungou o Rei, acenando para Hagar.——Abra a sacola!——sussurrou.——Depressa! Não, essa aí não... está cheia de hortelã!

Hagar tirou uma grande torta da sacola e deu para Alice segurar enquanto retirava um prato e um trinchante. Como tudo isso saiu da sacola, Alice não podia imaginar. Parecia mais um passe de mágica, pensou.

Enquanto isso, o Leão tinha se juntado ao grupo. Parecia muito cansado e sonolento, e seus olhos estavam semicerrados.

——Que é isso?——perguntou, piscando preguiçosamente na direção de Alice e falando num tom cavo e profundo que ressoava como o dobre de um grande sino.

——Ah, o que é *isso*?——gritou o Unicórnio com vivacidade. ——Você não adivinhará nunca! Nem *eu* consegui.

O Leão olhou para Alice com ar fatigado.

——Você é animal… vegetal… ou mineral?——perguntou, bocejando a cada palavra.

——É um monstro fabuloso!——gritou o Unicórnio, antes que Alice pudesse responder.

——Então sirva a torta, Monstro!——mandou o Leão, deitando-se e apoiando o queixo nas patas.——Sentem-se, vocês dois aí—— disse ao Rei e ao Unicórnio.——E olhe lá, jogo limpo na divisão da torta!

O Rei sentia-se visivelmente pouco à vontade por ter de se sentar entre as duas enormes criaturas. Mas não havia outro lugar para ele.

——Que luta travaríamos *agora* pela coroa!——disse o Unicórnio, olhando sorrateiramente para a coroa que o pobre Rei mal podia sustentar na cabeça, tanto ele tremia.

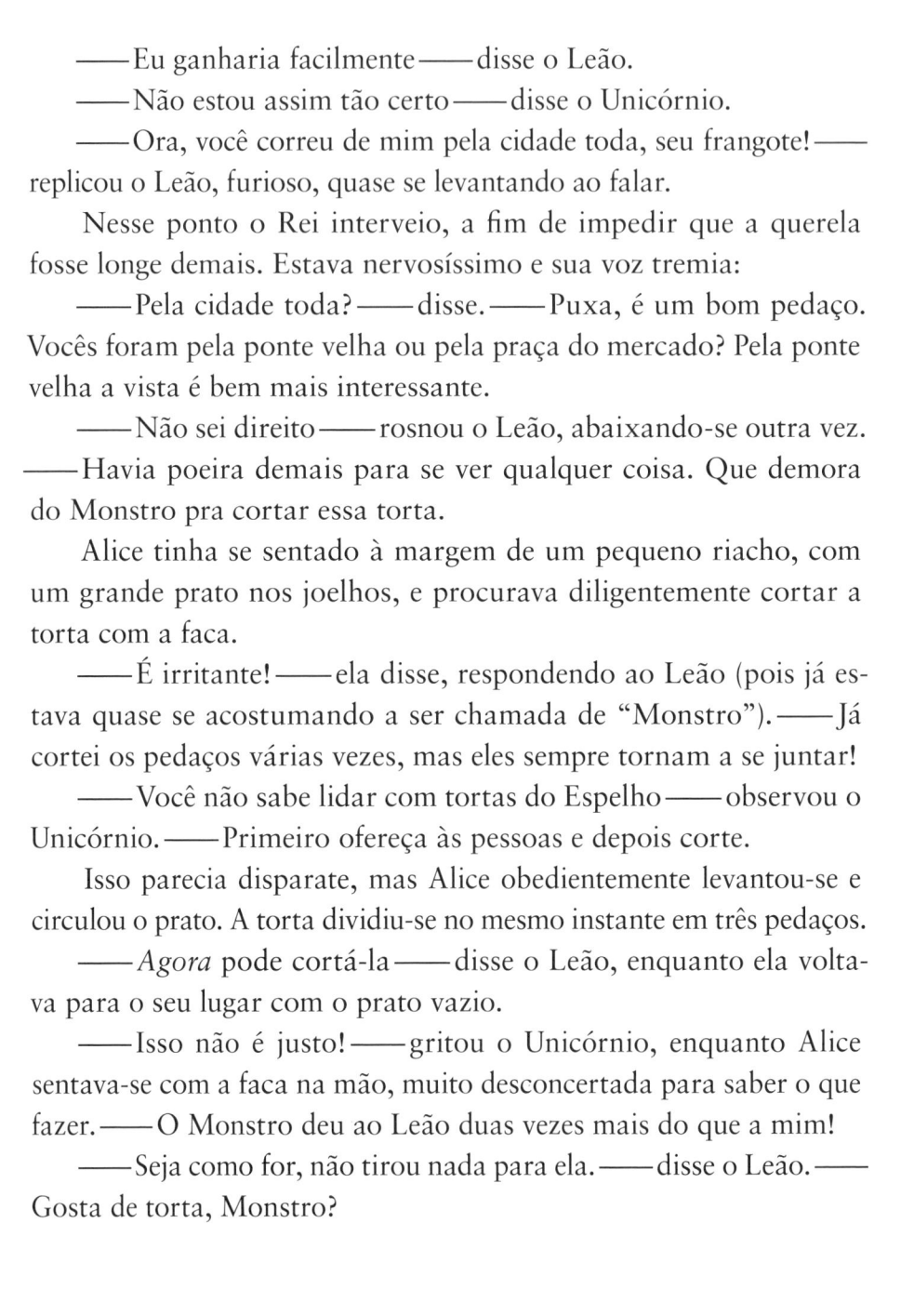

——Eu ganharia facilmente——disse o Leão.

——Não estou assim tão certo——disse o Unicórnio.

——Ora, você correu de mim pela cidade toda, seu frangote!——replicou o Leão, furioso, quase se levantando ao falar.

Nesse ponto o Rei interveio, a fim de impedir que a querela fosse longe demais. Estava nervosíssimo e sua voz tremia:

——Pela cidade toda?——disse.——Puxa, é um bom pedaço. Vocês foram pela ponte velha ou pela praça do mercado? Pela ponte velha a vista é bem mais interessante.

——Não sei direito——rosnou o Leão, abaixando-se outra vez.——Havia poeira demais para se ver qualquer coisa. Que demora do Monstro pra cortar essa torta.

Alice tinha se sentado à margem de um pequeno riacho, com um grande prato nos joelhos, e procurava diligentemente cortar a torta com a faca.

——É irritante!——ela disse, respondendo ao Leão (pois já estava quase se acostumando a ser chamada de "Monstro").——Já cortei os pedaços várias vezes, mas eles sempre tornam a se juntar!

——Você não sabe lidar com tortas do Espelho——observou o Unicórnio.——Primeiro ofereça às pessoas e depois corte.

Isso parecia disparate, mas Alice obedientemente levantou-se e circulou o prato. A torta dividiu-se no mesmo instante em três pedaços.

——*Agora* pode cortá-la——disse o Leão, enquanto ela voltava para o seu lugar com o prato vazio.

——Isso não é justo!——gritou o Unicórnio, enquanto Alice sentava-se com a faca na mão, muito desconcertada para saber o que fazer.——O Monstro deu ao Leão duas vezes mais do que a mim!

——Seja como for, não tirou nada para ela.——disse o Leão.——Gosta de torta, Monstro?

Mas antes que Alice pudesse responder, os tambores começaram a tocar.

De onde vinha aquele barulho, ela não podia localizar. O ar parecia cheio do ruído dos tambores que ressoavam na sua cabeça de tal forma que ela se sentia completamente ensurdecida. Levantou-se de um salto e, aterrorizada, pulou por cima do riacho.

*   *   *   *   *   *

*   *   *   *   *

*   *   *   *   *   *

Teve apenas tempo de ver o Leão e o Unicórnio se levantarem, cheios de raiva por estarem sendo interrompidos em seu repasto, antes de ajoelhar-se e colocar as mãos nos ouvidos, tentando em vão fugir daquela medonha algazarra.

"Se *esse* toque de tambores não os expulsar da cidade", pensou, "nada o fará jamais!"

CAPÍTULO VIII.

Após certo tempo o barulho pareceu morrer pouco a pouco, até que se fez silêncio mortal. Alice ergueu a cabeça algo assustada. Não se via mais ninguém pelos arredores, e seu primeiro pensamento é que estivera sonhando sobre o Leão e o Unicórnio e aqueles bizarros Mensageiros anglo-saxônicos. No entanto, ali estava a seus pés o enorme prato em que tentara inutilmente cortar a torta. "Portanto", dizia ela para si mesma, "no fim de contas eu não estive sonhando. A não ser... a não ser... que todos façamos parte do mesmo sonho. Só espero que seja o *meu* sonho, e não o do Rei Vermelho! Não me agrada nada a ideia de fazer parte do sonho de outra pessoa", acrescentou em tom de lamentação. "Dá vontade de ir lá e acordá-lo, pra ver o que é que acontece!"

Suas reflexões foram interrompidas nesse momento por um alto brado de "ó de bordo! ó de bordo! xeque!", e um Cavaleiro, vestido numa couraça rubra, surgiu a galope diante dela, empunhando uma enorme maça. Justamente quando se aproximava dela, o cavalo estancou subitamente:

——Você é minha prisioneira!——gritou o Cavaleiro, enquanto tombava do cavalo.

Por mais sobressaltada que estivesse, Alice temeu ainda mais

pelo Cavaleiro do que por si mesma e olhou-o com certa preocupação enquanto ele montava outra vez. Assim que estava confortavelmente instalado na sela, ele recomeçou:

——Você é minha prisi…——Mas aqui outra voz bradou "ó de bordo! Ó de bordo! xeque!" e Alice olhou em volta, surpreendida com esse novo inimigo.

Desta vez era o Cavaleiro Branco. Surgiu ao lado de Alice, tombando do seu cavalo tal como acontecera com o Cavaleiro Vermelho: ergueu-se e ajeitou-se outra vez na sela, e os dois Cavaleiros fitaram-se um ao outro sem dizer palavra. Alice olhava de um para o outro, algo desnorteada.

——Ela é *minha* prisioneira, fique claro!——disse por fim o Cavaleiro Vermelho.

——Sim, mas nesse caso *eu* cheguei para resgatá-la!——replicou o Cavaleiro Branco.

——Bom, então temos de lutar por ela——disse o Cavaleiro Vermelho, apanhando o seu elmo (que estava pendurado na sela e tinha mais ou menos a forma de uma cabeça de cavalo) e colocando-o.

——Você observará as Regras de Combate, é claro?——observou o Cavaleiro Branco, enquanto colocava o elmo por sua vez.

——Sempre faço isso——disse o Cavaleiro Vermelho. Imediatamente começaram a se bater com tal estrépito e fúria que Alice se ocultou atrás de uma árvore, abrigando-se dos golpes.

"Só queria saber que Regras de Combate são essas", disse para si mesma, enquanto olhava a luta, arriscando-se timidamente a pôr a cabeça de fora do esconderijo. "Uma das Regras parece ser que, se um cavaleiro atinge o outro, este deve cair do cavalo; e se ele errar o golpe, ele mesmo é quem cai… e outra Regra parece ser a de que eles devem sustentar suas maças com os braços, como se fossem marionetes. Que barulho fazem quando caem! Parecem atiçadores caindo no guarda-fogo da lareira. E como seus cavalos estão quietos! Eles deixam os cavaleiros cair e montar outra vez como se fossem de madeira!"

Outra Regra de Combate, que Alice não tinha observado, parecia ser a de que eles caíam sempre de cabeça, e o combate terminou com ambos caindo desse modo, cada um do seu lado. Ao se levantarem, apertaram as mãos, e depois o Cavaleiro Vermelho montou, saindo a galope.

——Foi uma vitória gloriosa, não foi?——disse o Cavaleiro Branco, enquanto se aproximava ofegante.

——Não sei——disse Alice hesitante.——Não quero ser prisioneira de ninguém. Quero ser Rainha.

—— Será, quando tiver cruzado o próximo riacho. —— disse o Cavaleiro Branco. —— Hei de levá-la sã e salva até a orla do bosque. De lá, terei de voltar: meu lance estará terminado.

—— Muitíssimo obrigada —— disse Alice. —— Posso ajudá-lo a tirar o elmo? —— era evidente que ele não poderia fazê-lo sozinho, mas Alice conseguiu livrá-lo do elmo, afinal.

—— Agora se pode respirar mais facilmente —— disse o Cavaleiro, alisando com as duas mãos o cabelo desgrenhado e voltando na direção de Alice um rosto manso com grandes olhos meigos. Ela pensou que nunca vira antes um soldado de aspecto tão estranho.

Ele estava vestido com uma armadura de folha de flandres, que parecia lhe cair muito mal, e trazia pendurada no ombro uma bizarra caixinha de madeira, de cabeça para baixo e com a tampa aberta. Alice observou essa caixa com grande curiosidade.

—— Vejo que está admirando a minha caixinha —— disse o Cavaleiro em tom amigável. —— Fui eu mesmo que inventei, para guardar roupas e sanduíches. Está de cabeça pra baixo porque assim não entra chuva.

—— Mas assim as coisas podem *cair* —— observou Alice com delicadeza. —— O senhor já viu que a tampa está aberta?

—— Não, não sabia —— disse o Cavaleiro, e sua fisionomia ensombreceu-se, contrariada. —— Então todas as coisas devem ter caído! E a caixa é inútil sem elas.

Enquanto falava desprendeu a caixa do ombro e ia atirá-la no mato quando uma súbita ideia pareceu cruzar-lhe a mente. Pendurou-a cuidadosamente numa árvore.

—— Será que você adivinha por que fiz isso? —— perguntou a Alice.

Alice balançou a cabeça negativamente.

——Na esperança de que algumas abelhas façam ninho aqui... Então recolherei o mel.

——Mas o senhor já tem uma colmeia, ou coisa parecida, pendurada na sela——observou Alice.

——Ah, sim, e é uma colmeia muito boa——disse o Cavaleiro em tom desgostoso——, da melhor qualidade. Só que nem uma abelha ainda entrou dentro dela. E essa outra coisa aí é uma ratoeira. Acho que os ratos afugentam as abelhas, ou são as abelhas que afugentam os ratos, não sei bem.

——Eu ia perguntar pra que servia a ratoeira—— disse Alice.—— Não é muito provável que apareçam camundongos nas costas do cavalo.

——Não é muito provável, talvez——disse o Cavaleiro.——Mas *se* eles aparecerem não quero que fiquem correndo por aí. Sabe?—— continuou depois de uma pausa.——É preciso estar prevenido para *tudo*. É por isso que o cavalo tem essas argolas nos pés.

——Mas pra que servem elas?——perguntou Alice com grande curiosidade.

——Protegem contra a mordida de tubarões——replicou o Cavaleiro.——Fui eu mesmo que inventei. E agora me ajude a montar. Vou com você até a orla do bosque... Pra que é esse prato aí?

——Pra carregar uma torta de ameixas——disse Alice.

——É melhor levá-lo conosco——disse o Cavaleiro.——Será muito útil se por acaso encontrarmos alguma torta de ameixas. Ajude-me a enfiá-lo na sacola.

Isso levou muito tempo, pois, embora Alice abrisse cuidadosamente a sacola, o Cavaleiro revelou-se *muito* desastrado: das duas ou três primeiras vezes em que tentou enfiar o prato dentro, ele mesmo caía de cabeça na sacola.

——Está meio apertado, está vendo?——comentou quando

afinal conseguiram enfiar o prato —, a sacola já está cheia de castiçais——e pendurou-a na sela, já carregada de feixes de cenouras, atiçadores e muitas outras coisas.

——Espero que seu cabelo esteja bem preso, não?——continuou enquanto seguiam caminho.

——Está como sempre——disse Alice sorrindo.

——Não basta——disse ele em tom aflito.——O vento aqui é *muito* forte. Forte como caldo.

——O senhor inventou alguma coisa para o cabelo não esvoaçar?——perguntou Alice.

——Ainda não——disse o Cavaleiro.——Mas inventei um sistema para impedir que *caia*.

——Gostaria muito de conhecê-lo, muito mesmo.

——Primeiro pegue uma vareta bem reta——explicou o Cavaleiro.——Depois faça o cabelo subir pela vareta, como uma árvore frutífera. Ora, a razão pela qual os cabelos caem é porque pendem *para baixo*: as coisas não caem nunca *para cima*, você sabe. Esse sistema fui eu mesmo que inventei. Pode experimentá-lo, se quiser.

"Não parecia lá muito confortável", pensou Alice, e durante alguns minutos caminhou em silêncio, dando voltas à cabeça com aquela ideia, e parando de vez em quando para ajudar o pobre Cavaleiro, que certamente *não* era lá muito forte em equitação.

Cada vez que o cavalo estancava (o que acontecia com frequência), ele caía para a frente: e cada vez que arrancava (o que, em geral, fazia de modo brusco), ele caía para trás. À parte isso, cavalgava muito bem, exceto pelo fato de que de vez em quando tinha o hábito de cair para os lados; e como geralmente caía para o lado onde Alice estava andando, ela concluiu logo que o melhor sistema era não andar *muito* perto do cavalo.

——Acho que talvez o senhor não tenha muita prática de cavalgar——arriscou-se a dizer, enquanto o ajudava a levantar-se do quinto tombo.

O Cavaleiro olhou-a bastante surpreendido e algo ofendido com tal observação.

——O que faz você pensar assim?——perguntou enquanto subia outra vez à sela, agarrando-se ao cabelo de Alice com uma das mãos para não cair do outro lado.

——Porque as pessoas não caem tanto assim quando têm bastante prática.

——Sempre tive prática demais——disse o Cavaleiro com um ar muito solene——, prática demais!

Alice não conseguiu pensar em nada melhor para dizer do que um "É mesmo?", mas procurou dizer da maneira mais amável possível. Continuaram a andar durante algum tempo em silêncio, depois disso. O Cavaleiro, de olhos fechados, resmungava alguma coisa para si mesmo, enquanto Alice aguardava com aflição a próxima queda.

——A grande arte de cavalgar——começou o Cavaleiro a dizer, de repente, em voz alta, gesticulando com o braço direito enquanto falava——é a de conservar o…

E aqui a frase acabou tão de súbito quanto começara, pois o Cavaleiro caiu de ponta-cabeça bem na frente de Alice. Desta vez ela se assustou de fato e disse em tom aflito, enquanto o levantava:

——Espero que não tenha quebrado nada!

——Nada que valha a pena mencionar——disse o Cavaleiro, como se não se importasse de quebrar dois ou três ossos.——A grande arte de cavalgar, como eu estava dizendo, é a de conservar o equilíbrio adequado. Assim, veja…

Largou a brida e esticou os dois braços para mostrar a Alice o que queria dizer. Dessa vez caiu estatelado, de costas, sob as patas do cavalo.

——Prática demais!——repetia o tempo todo enquanto Alice o levantava outra vez.——Prática demais!

——Isso é ultrarridículo——gritou Alice, perdendo a paciência. ——Um cavalo de madeira com rodinhas, disso é que o senhor precisa.

——E é mais macio esse tipo de cavalo?——perguntou o Cavaleiro com grande interesse, agarrando-se ao pescoço do cavalo ao falar, justamente a tempo de evitar novo tombo.

——Bem mais do que um cavalo vivo——disse Alice com um risinho agudo, por mais que se esforçasse em reprimi-lo.

——Vou arranjar um——disse o Cavaleiro pensativamente. ——Um ou dois… vários.

Houve um curto silêncio depois disso. A seguir, o Cavaleiro continuou:

——Tenho grande habilidade para inventar coisas. Ora, você deve ter notado, da última vez que me levantou, que eu estava com um ar pensativo, não?

——O senhor estava um pouco sério——disse Alice.

——Pois bem, exatamente naquele momento eu estava inventando um novo meio de saltar por cima de uma porteira… Gostaria de ouvir?

——Com muito prazer——respondeu Alice com polidez.

——Vou lhe dizer como é que me veio essa ideia——começou o Cavaleiro.——Eu disse pra mim mesmo: "A única dificuldade são os pés, pois a cabeça já está lá no alto". Ora, primeiro ponho a *cabeça* em cima da porteira… aí a cabeça está na altura suficiente… então fico de cabeça pra baixo… e aí os pés estão bem no alto, entende?… E aí passo por cima, entende?

——Sim, imagino que o senhor passaria depois disso tudo—— disse Alice pensativamente.——Mas não acha que seria um pou-quinho complicado?

——Ainda não tentei——disse o Cavaleiro em tom grave——, por isso não posso falar com certeza. Mas temo que seja de fato *um pouco* difícil.

Pareceu tão contrariado com essa ideia que Alice apressou-se em mudar de assunto.

——Mas que elmo interessante o senhor tem!—— disse com viva-cidade.——Foi o senhor também que inventou?

O Cavaleiro olhou cheio de orgulho para o elmo, pendurado na sela.

——Sim——disse——, mas já inventei um melhor do que este… Era em forma de pão de açúcar. Quando costumava usá-lo, se eu caía do cavalo, ele sempre tocava no chão imediatamente. De modo que eu não caía de *muito* alto, entende? Só que havia o perigo de cair *dentro* dele, é claro. Isso me aconteceu uma vez... e o pior de tudo foi que, antes que eu pudesse sair, o outro Cavaleiro Branco veio e colocou-o na cabeça. Pensou que era o seu próprio elmo.

O Cavaleiro tinha um aspecto tão solene ao contar isso que Alice não ousou rir.

——Receio que o senhor o tenha machucado——disse com voz trêmula——, já que estava em cima da cabeça dele.

——Tive que lhe dar uns pontapés, é claro——disse o Cavaleiro com o ar mais sério do mundo.——Aí ele tirou o elmo e jogou fora. Mas levei horas para sair de dentro dele. Eu estava tão ligado ao elmo quanto uma corrente elétrica está ligada.

——Mas são espécies diferentes de ligação——objetou Alice.

O Cavaleiro meneou a cabeça.

——Comigo eram todas as espécies de ligações, pode acreditar.

Ao dizer isso levantou as mãos algo excitado e imediatamente rolou da sela, caindo de cabeça numa vala profunda.

Alice correu à borda da vala a fim de ver o que lhe acontecera. Esta queda a sobressaltara, pois durante algum tempo ele se conservara bem equilibrado. Temia que dessa vez ele tivesse se ferido *de fato*. Entretanto, embora não pudesse ver mais nada além da planta dos pés dele, ficou bastante aliviada ao ouvi-lo falando de maneira normal.

——Todas as espécies de ligações——repetia.——Mas foi distração demais dele colocar o elmo de outro cavaleiro, e ainda por cima com o homem dentro, ora essa.

——Como é que o senhor *pode* continuar falando assim tão calmamente, de cabeça pra baixo?——perguntou Alice enquanto o arrancava pelos pés e o ajeitava na ribanceira.

O Cavaleiro pareceu surpreendido com a pergunta.

——Que é que interessa de que jeito esteja o meu corpo?——argumentou.——A minha mente continua a funcionar do mesmo modo. De fato, quanto mais estou de cabeça pra baixo, mais invento coisas novas. A coisa mais notável que fiz até hoje——prosseguiu após uma pausa——foi inventar um novo pudim enquanto serviam a carne.

——A tempo de mandar prepará-lo para o serviço seguinte?—— disse Alice.——Bom, *foi* um trabalho rápido, com certeza.

——Bom, não para o serviço *seguinte*——disse o Cavaleiro em tom pensativo.——Não, certamente não foi para o *serviço* seguinte.

——Para o dia seguinte, então? Imagino que o senhor não ia querer que servissem dois pudins numa mesma refeição.

——Bom, não para o dia *seguinte*——repetiu o Cavaleiro tal como antes.——Não para o *dia* seguinte. De fato——continuou, com a cabeça baixa e a voz cada vez mais sumida——, não creio que esse pudim tenha *sido* jamais cozinhado! De fato, não creio que esse pudim *será* jamais cozinhado! E ainda assim, esse pudim foi uma invenção muito engenhosa.

——Sua intenção era fazê-lo de quê?——perguntou Alice, esperando animá-lo, pois o pobre Cavaleiro parecia estar com o moral completamente abatido.

——Pra começar, com pedaços de mata-borrão——respondeu o Cavaleiro com um gemido.

——Suspeito que não fosse lá muito bom…

——Não seria bom isso *só*——interrompeu com ansiedade——, mas você não tem ideia da diferença que faz, misturando com outras coisas…como por exemplo pólvora e lacre. Mas aqui tenho que deixá-la——tinham chegado à orla do bosque.

Alice apenas olhou-o aturdida: estava pensando no pudim.

——Você está triste——disse o Cavaleiro em tom aflito.——Deixe-me cantar uma canção para confortá-la.

——É muito comprida?——perguntou Alice, pois naquele dia já tinha ouvido poesia demais.

——É comprida——disse o Cavaleiro——, mas é muito, *muito* bonita. Todo mundo que me ouve cantá-la ou fica com *lágrimas* nos olhos ou então…

——Ou então o quê?——disse Alice, pois o Cavaleiro fizera uma súbita pausa.

——Ou então não fica. A canção é chamada "Olhos de eglefim".

——Ah, é esse o nome da canção?——disse Alice, tentando interessar-se.

——Não, você não está entendendo——disse o Cavaleiro, parecendo meio contrariado.——É assim que se chama o *nome* da canção. O nome verdadeiramente é "O homem velho, muito velho".

——Então eu devia ter dito "É assim que se chama a canção?"

——Não, não devia: isso é outra coisa. A *canção* se chama "Modos e meios". Mas isso é só como ela se *chama*, veja bem!

——Mas qual é a canção, afinal?——disse Alice, já completamente desnorteada.

——Já estava chegando ao ponto——disse o Cavaleiro.—— A canção, *verdadeiramente*, é "Sentado sobre uma porteira". A melodia fui eu mesmo que inventei.

E assim dizendo, parou o cavalo e largou as rédeas no pescoço do animal. Depois, batendo vagarosamente o ritmo com uma mão, com lânguido sorriso iluminando o rosto suave e néscio, como se fruísse a música da sua canção, pôs-se a cantar.

De todas as coisas estranhas que Alice viu em sua viagem através do espelho, essa era uma de que sempre se lembrava com a maior clareza. Anos depois ainda podia recordar-se da cena inteira outra vez, como se tivesse sido no dia anterior. Os doces olhos azuis e o sorriso bondoso do Cavaleiro...os raios do sol poente brilhando francamente em seus cabelos e refletindo-se em sua armadura num esplendor luminoso que a ofuscava por completo...o cavalo que se mexia quietamente, com as rédeas abandonadas no pescoço, mordiscando a relva sob as patas...e as negras sombras da floresta atrás... tudo isso ela gravou como se fosse um quadro, com uma mão em viseira sobre os olhos, encostada numa árvore, contemplando o estranho par e ouvindo, meio em sonho, a melancólica música da canção. "Mas a melodia *não foi* inventada por ele", disse para si mesma. "É 'Te dou tudo, não posso mais'." Dispôs-se a ouvir com toda a atenção, mas não brotaram lágrimas dos seus olhos.

Eu contarei sem hesitação:
    Essa estória é breve e ligeira.
Vi certa vez um ancião
    Sentado sobre uma porteira.
"Quem és tu, velho?", indaguei eu,
    "Qual teu ofício?" E em minha mente
Como água em peneira escorreu
    A resposta, sorrateiramente.

Disse-me: "Caço as libelinhas
    Que dormem em meio dos trigais.
E com elas faço empadinhas
    Que vendo na beira do cais.
Eu as vendo", disse o ancião,
    "Aos marinheiros sem temor.
É assim que ganho o meu pão.
    Dê-me uma esmola, por favor."

Mas eu ruminava um projeto
    Pra tingir de verde as suíças
E usar um leque tão aberto
    Que elas não pudessem ser vistas.
E assim, sem resposta ter
    Para o que dizia o ancião,
Gritei: "O que faz pra viver?",
    Enquanto lhe dava um empurrão.

Com voz mansa, prosseguiu baixo:
    "Vou andando sem eira nem beira
E quando vejo algum riacho
    Acendo nele uma fogueira.
Disso fazem algo chamado
    Óleo puro de Macassar.
Mas só me dão algum trocado:
    É o que ganho em trabalhar."

Mas eu armava mentalmente
    O plano de só comer toucinho.
E assim cotidianamente
    Engordar mais e mais um pouquinho.
Sacudi o velho bem forte
    (O seu rosto ficou lilás)
E gritei: "Diga lá, velhote!
    O que na vida você faz?"

Respondeu: "Entre as urzes caço
    Olhos vivos de eglefim.
Deles faço botões de casaco
    Dentro da noite sem fim.
E não vendo por ouro nobre
    Nem moedas de prata fina.
Só por simples vintém de cobre
    Que compram nove em cada esquina.

Cavo em busca de pães de rosca
    Ou pesco siris com varetas.
Busco em montes de relva fosca
    Rodas de berlinda ou carreta.
É desse jeito (piscou matreiro)
    Que aos poucos vou enriquecer.
Com grande gosto eu beberia
    À saúde de Vossa Mercê."

Ouvi-o então, pois completara
    Um projeto meu com carinho:
Evitar a ferrugem das pontes
    Fervendo-as com vinho.
O seu método de enriquecer
    Agradeci por contar, ao fim.
E mais ainda o seu prazer
    Em erguer um brinde por mim.

E hoje, se por acaso deito
    Na cola, distraído, o dedo,
Ou se enfio o pé direito
    No sapato do pé esquerdo,
Ou se deixo cair na ponta
    Do pé algo bem pesado,
Confesso que choro sem conta
    Pois lembro o velho do passado...
De olhar tão doce e fala mansa
    De cabelo mais branco que a neve
Com a cara semelhante a uma gralha
    Com seus olhos de brasa acesa
Distraídos pela tristeza
    Balançando pra frente e pra trás
Resmungando baixo entre os dentes
    Qual se estivesse a mastigar
Como um búfalo a resfolegar
    Numa noite há muito tempo atrás
Sentado sobre uma porteira.

Ao cantar as últimas palavras da balada, o Cavaleiro pegou as rédeas e voltou seu cavalo na direção de onde tinham vindo.

——Você agora tem poucos metros a caminhar——disse——, descendo a colina e depois saltando aquele pequeno riacho. E então será uma Rainha... Mas antes você vai ficar aí e ver minha partida, não vai?——acrescentou, enquanto Alice se virava com olhar ávido na direção em que tinha apontado.——Não demorarei. Você espera e acena com o seu lenço quando eu virar naquela curva da estrada? Acho que isso me encorajará, entende?

——Claro que espero——disse Alice.——E muito obrigada por me acompanhar em toda essa distância...e pela canção...gostei muito.

——Espero que sim——disse o Cavaleiro cheio de dúvida——, mas você não chorou tanto quanto eu esperava.

Apertaram as mãos, e então o Cavaleiro deslocou-se vagarosamente na direção da floresta. "Não vai demorar muito para vê-lo *cair*, juro", disse Alice para si mesma, enquanto o contemplava. "Lá vai ele! Bem de cabeça pra baixo, como sempre! Mas sobe outra vez com muita facilidade...é porque tem muitas coisas penduradas em volta do cavalo..." Continuou assim seu monólogo enquanto o cavalo seguia pachorrentamente e o Cavaleiro tombava, ora de um lado, ora de outro. Depois do quarto ou quinto tombo ele chegou à curva, e então ela acenou com o lenço, esperando até que sumisse de vista.

"Espero que isso o tenha encorajado", disse, enquanto se voltava para descer correndo a colina. "E agora saltar o último riacho e ser uma Rainha! Como soa imponente isso!" Mais alguns passos a levaram para a borda do riacho. "A Oitava Casa, afinal!", gritou enquanto saltava

e se atirava ao chão para descansar num relvado tão macio quanto musgo, pontilhado de canteiros de flores aqui e ali. "Ah, como é bom ter chegado aqui! Que é *isso* na minha cabeça?", perguntou-se aflita, erguendo as mãos para segurar em algo muito pesado que lhe cingia estreitamente a cabeça.

"Como é que isso *pôde* vir parar aqui sem eu saber?" murmurou, enquanto levantava o objeto e colocava-o no colo para saber do que se tratava.

Era uma coroa de ouro.

CAPÍTULO IX.

RAINHA ALICE.

——Ah, *que* maravilha! ——exclamou Alice. ——Nunca pensei que fosse ser Rainha assim tão cedo… e pra falar a verdade, Vossa Majestade——disse em tom muito grave (ela adorava fingir que estava repreendendo a si mesma)——, não fica bem estar refestelada na grama desse jeito! As Rainhas têm que ter dignidade!

Levantou-se, pois, e começou a andar, um pouco rígida a princípio, pois temia que a coroa caísse. Mas consolava-se com o pensamento de que não havia ninguém ali para vê-la. "E se eu sou de fato uma Rainha", disse, enquanto se sentava outra vez, "logo serei capaz de conduzir isso." Tudo se passava de maneira tão estranha que ela não ficou nem um pouco surpreendida de achar-se entre a Rainha Vermelha e a Rainha Branca, sentadas cada uma de um lado. Gostaria muito de perguntar-lhes como tinham ido parar ali, mas temia que isso não fosse muito delicado. Entretanto, pensou, não havia nenhum inconveniente em perguntar se o jogo tinha acabado.

——Por favor, podem me dizer… ——ela começou, olhando timidamente para a Rainha Vermelha.

——Fale só quando lhe dirigirem a palavra! ——interrompeu bruscamente a Rainha Vermelha.

——Mas, se todo mundo observasse essa regra——disse Alice, sempre pronta para uma pequena discussão——, se você só falasse quando lhe dirigissem a palavra e a outra pessoa sempre esperasse *você* começar, então ninguém diria jamais coisa alguma, entende? De modo que...

——Ridículo!——gritou a Rainha Vermelha.——Ora, menina, você não está vendo que...——aqui ela se interrompeu de repente e, franzindo o cenho, parou um minuto para pensar, mudando subitamente o assunto da conversa.——Que é que você quer dizer com "se eu sou de fato uma Rainha"? Que direito tem de pensar isso? Você não pode ser Rainha, fique sabendo, antes de ter sido aprovada nos exames de admissão. E quanto mais cedo começarmos, melhor.

——Eu disse apenas "se"——defendeu-se Alice em tom de súplica.

As duas Rainhas se entreolharam, e a Rainha Vermelha observou, com um ligeiro estremecimento:

——*Diz ela* que disse apenas "se"...

——Mas disse muito mais do que isso!——gemeu a Rainha Branca, torcendo as mãos.——Oh, muito, muito mais do que isso!

——Foi exatamente isso, você sabe——disse a Rainha Vermelha para Alice.——Fale sempre a verdade... pense antes de falar... e escreva isso depois.

——Estou certa de que eu não quis dizer...——começou Alice, mas foi interrompida pela Rainha Vermelha.

——É justamente disso que me queixo! Você *devia* ter querido dizer! Então, que é que você acha, de que serve uma criança que não quer dizer nada? Mesmo uma piada quer dizer alguma coisa... e uma criança é mais importante do que uma piada, parece. Você não poderia negar isso, mesmo se tentasse usar as duas mãos.

——Eu não nego as coisas com as minhas *mãos*——objetou Alice.

——Ninguém diz que você fez isso——disse a Rainha Vermelha.
——Eu disse que não poderia, caso tentasse.

——Ela está numa disposição——disse a Rainha Branca——
em que está querendo negar *qualquer coisa…* só que não sabe o
que negar!

——Um caráter desagradável, vicioso——observou a Rainha
Vermelha. E depois disso reinou um desconfortável silêncio, durante
um ou dois minutos.

A Rainha Vermelha rompeu o silêncio dirigindo-se à Rainha
Branca:

——Convido-a para o jantar de Alice hoje à tarde.

A Rainha Branca sorriu debilmente e disse:

——E eu convido *você*.

——Não sabia que tinha de oferecer um jantar——disse Alice.
—— Mas já que vai haver um, acho que *eu* é que devia chamar os
convidados.

——Nós lhe demos oportunidade de fazer isso——observou a
Rainha Vermelha —, mas eu diria que você não teve muitas lições
de boas maneiras, não é?

——Boas maneiras não se aprendem com lições——disse Alice.
——As lições ensinam a fazer somas e coisas assim.

——Sabe somar?——perguntou a Rainha Branca.——Quanto
é um mais um e mais um e mais um e mais um e mais um e mais um
e mais um e mais um?

——Não sei——respondeu Alice.——Perdi a conta.

——Não sabe somar——interrompeu a Rainha Vermelha.——
Sabe subtração? Subtraia nove de oito.

——Nove de oito não pode ser——replicou Alice prontamente
——, mas…

——Não sabe subtração——disse a Rainha Branca.——Sabe divisão? Divida um pão com uma faca... qual é o resultado?

——Acho que...——começou Alice a dizer, mas a Rainha Vermelha respondeu por ela:

——Pão com manteiga, é claro. Tente outra subtração. Tire um osso de um cão. Que é que resta?

Alice refletiu.

——O osso não ficaria, é claro, se eu o tirasse... e o cachorro também não. Ele viria me morder... e estou certa de que *eu* não ficaria!

——Então você acha que restaria nada?——disse a Rainha Vermelha.

——Acho que é essa a resposta.

——Errado, como sempre——disse a Rainha Vermelha.——Restaria a paciência do cachorro.

——Mas não vejo como...

——Olhe aqui——gritou a Rainha Vermelha——, o cachorro perdeu a paciência ao ficar com raiva, não perdeu?

——É, talvez sim——respondeu Alice cautelosamente.

——Pois então, se o cachorro fosse embora, restaria a paciência que ele perdeu.

Alice ponderou o mais seriamente que pôde:

——Podiam ter ido embora em direções diferentes——mas não pôde deixar de pensar: "Que asneiras medonhas *estamos* dizendo!"

——Ela não sabe *nem um pouco* as quatro operações!——disseram juntas as rainhas, muito enfáticas.

——E *você*, sabe alguma?——disse Alice, voltando-se subitamente para a Rainha Branca, pois não gostou de ser assim tão criticada.

A Rainha pareceu sufocada e fechou os olhos.

——Sei somar se me derem tempo… mas não sei fazer subtração, em hipótese *alguma*!

——É claro que você conhece o a-bê-cê, não?——disse a Rainha Vermelha.

——É claro que conheço——disse Alice.

——Eu também sei——sussurrou a Rainha Branca.——Várias vezes o recitamos juntos, minha querida. E vou lhe dizer um segredo: sei ler palavras de uma letra só! Não é fantástico? Mas não desanime. Você chegará lá, com o tempo.

E aqui a Rainha Vermelha recomeçou:

——Sabe responder perguntas práticas?——disse ela.——De que é feito o pão?

——*Essa* eu sei!——gritou Alice avidamente.——Pega-se primeiro a flor de farinha…

——Flor? Onde se apanha?——perguntou a Rainha Branca.——Num jardim ou nas sebes?

——Mas não se *apanha*——explicou Alice.——É um cereal. Moem-se os grãos que se colhem da terra...

——Mas deve-se moer quantos grãos de terra?——disse a Rainha Branca.——Você não deve deixar tanta coisa sem explicação.

——Refresque a cabeça dela——interrompeu aflita a Rainha Vermelha.——Está febril depois de pensar tanto.

Puseram-se de imediato a abaná-la com folhas de árvore até que Alice lhes implorou que parassem, pois seu cabelo esvoaçava demais.

——Agora ela está bem——disse a Rainha Vermelha.—— Conhece línguas? Como é piroquete em francês?

——Mas piroquete não é palavra do vernáculo——replicou Alice em tom sério.

——Quem disse que era?——replicou a Rainha.

Alice pensou que, dessa vez, havia um meio de sair da dificuldade.

——Se você me disser de onde vem piroquete eu lhe direi como é em francês!——exclamou triunfalmente.

Mas a Rainha Vermelha empertigou-se rigidamente e disse:

——Rainhas nunca fazem negociatas.

"O que eu gostaria é que as rainhas nunca fizessem perguntas", pensou Alice.

——Não vamos discutir——disse a Rainha Branca em tom ansioso.——Qual é a causa do relâmpago?

——A causa do relâmpago——disse Alice em tom decidido, pois isso ela tinha certeza que sabia——é o trovão... Não, não!——corrigiu-se apressadamente——, eu queria dizer o contrário.

——É tarde para corrigir-se——disse a Rainha Vermelha.—— Uma vez que tenha dito qualquer coisa, é definitivo, e você tem que aguentar as consequências.

——Isso me faz lembrar...——disse a Rainha Branca, com os

olhos baixos e cruzando e descruzando as mãos, nervosamente——que tivemos uma trovoada *daquelas* na terça-feira passada... isto é, numa das terças-feiras da semana passada.

Alice ficou perplexa.

——Em *nosso* país——observou——só temos um dia da semana de cada vez.

A Rainha Vermelha comentou:

——Mas que calendário pobre! Pois *aqui*, na maior parte do tempo, os dias e as noites são em grupo de dois ou três de uma vez só, e no inverno temos às vezes nada menos do que cinco noites juntas... para esquentar, naturalmente.

——Cinco noites são, então, mais quentes do que uma noite?—— venturou-se Alice a perguntar.

——Cinco vezes mais quentes, é claro.

——Mas, pela mesma regra, deviam ser cinco vezes mais *frias*...

——Exatamente!——gritou a Rainha Vermelha.——Cinco vezes mais quentes *e* cinco vezes mais frias... tal como eu sou cinco vezes mais rica do que você *e* cinco vezes mais inteligente!

Alice suspirou e desistiu da discussão. "Parece exatamente uma adivinhação sem resposta!", pensou.

——Humpty Dumpty também viu isso——continuou a Rainha Branca em voz baixa, como se estivesse falando para si mesma.——Ele veio até a porta com um saca-rolhas na mão...

——Pra quê?——perguntou a Rainha Vermelha.

——Ele disse que *tinha* de entrar——continuou a Rainha Branca——porque estava procurando um hipopótamo. Ora, acontece que não havia nada daquilo em casa, naquela manhã.

——E acontece haver, geralmente?——perguntou Alice com assombro.

——Bom, só nas quintas-feiras——disse a Rainha.

——Eu sei por que ele veio até a porta——disse Alice.——Ele queria castigar os peixes, porque...

Nesse ponto a Rainha Branca recomeçou.

——Foi uma trovoada *daquelas*, você nem pode imaginar! ("Ela *nunca* poderia, você sabe disso", comentou a Rainha Vermelha.) Caiu um pedaço do teto, entraram muitos trovões, saíram rolando pelo quarto em grandes blocos, batendo nas mesas e nas coisas... Fiquei tão assustada que nem podia me lembrar do meu próprio nome!

Alice pensou consigo: "Eu jamais *tentaria* me lembrar do meu nome no meio de um desastre! De que serviria?" Mas não disse em voz alta, temendo ferir a suscetibilidade da pobre Rainha.

——Vossa Majestade deve desculpá-la——disse a Rainha Vermelha a Alice, pegando numa das mãos da Rainha Branca e acariciando-a suavemente.——Ela tem boas intenções, mas, regra geral, não pode resistir à tentação de dizer bobagens.

A Rainha Branca olhou timidamente para Alice, e esta sentiu que *tinha* de dizer alguma coisa gentil, mas no momento não conseguia pensar em nada.

——Ela na verdade não recebeu uma boa educação——continuava a Rainha Vermelha.——Mas é espantoso como tem bom gênio! Dê uns tapinhas na cabeça dela e veja como fica satisfeita!——mas isso Alice não tinha coragem de fazer de modo algum.

——Um pouco de gentileza... prendam-lhe os cabelos em papelotes... e isso faz milagres com ela...

A Rainha Branca soltou um profundo suspiro e apoiou a cabeça no ombro de Alice.

——Estou com *tanto* sono!——gemeu.

——Está cansada, coitadinha!——disse a Rainha Vermelha. —— Alise o cabelo dela…empreste-lhe seu gorro de dormir…e cante-lhe uma doce canção de ninar.

——Não tenho comigo nenhum gorro de dormir——disse Alice, tentando seguir a primeira instrução——e não sei nenhuma canção de ninar.

——Então eu mesma devo cantar——disse a Rainha Vermelha e começou imediatamente:

> Dorme, dorme, querida, a tua calma sesta.
> Há tempo pra dormir, não começou a festa:
> Depois vamos ao baile, ao findar o pudim,
> As rainhas, Alice, e todos lá, enfim!

——E agora que você já sabe a letra——acrescentou, enquanto ela mesma deitava a cabeça no outro ombro de Alice——, cante a música todinha para *mim*, pois estou caindo de sono também.

Logo a seguir as duas Rainhas estavam em pleno sono e roncando bem alto.

——Que *é* que eu vou fazer?——exclamou Alice, olhando em
volta de si com grande perplexidade, pois, primeiro uma cabeça e
depois a outra, ambas escorregaram dos ombros e caíram-lhe pesa-
damente no colo. "Acho que isso *jamais* aconteceu antes, que alguém
tivesse de cuidar de duas Rainhas adormecidas de uma vez só! Não,
nunca, em toda a História da Inglaterra... e nem podia, naturalmente,
pois nunca houve mais de uma Rainha de cada vez."

——Acordem, suas cabeçonas!——continuou, com franca impaciência. Mas não houve resposta além de um suave ronco.

O ronco tornava-se cada vez mais claro a cada minuto e soava
como se fosse uma melodia. Finalmente ela pôde distinguir as palavras e as ouvia tão atentamente, que, quando as duas grandes cabeças
desapareceram do seu colo, mal pôde notá-lo.

Estava de pé diante de uma portada em arco, com a inscrição
RAINHA ALICE em letras grandes no alto. De cada lado havia
uma campainha com a indicação de "Campainha de visitas" e
"Campainha de serviço".

"Vou esperar até que termine a canção", pensou Alice, "e então
tocarei a... a... *que* campainha devo tocar?", continuou, muito em-
baraçada com as indicações. "Eu não sou um visitante e não sou um
criado. *Devia* haver uma marcada 'Rainha'..."

Nesse instante, a porta abriu-se apenas um pouco e uma criatura de bico comprido pôs a cabeça para fora um momento e disse:

——Proibido entrar até a semana depois da próxima——e fechou a porta outra vez com estrondo.

Alice bateu e tocou inutilmente durante longo tempo, até que
afinal uma velha Rã, que estava sentada sob uma árvore, levantou-se

e veio claudicando vagarosamente até junto dela. Vestia-se com um traje amarelo brilhante e calçava botas enormes.

——Que é que se passa?——disse a Rã, numa voz grave e roufenha.

Alice voltou-se, pronta para queixar-se de todo mundo.

——Onde está o criado que devia responder à porta?——ela começou.

——Que porta?——disse a Rã.

Alice quase bateu com o pé no chão, irritada com aquela vagarosidade.

——*Esta* porta, é claro!

A Rã olhou para a porta com os seus grandes olhos embotados durante um minuto. Depois aproximou-se e esfregou-a com o polegar, como se estivesse querendo saber se a pintura largava. Olhou então para Alice.

——Responder à porta?——disse.——Que foi que ela perguntou?——a voz era tão rouca que Alice mal podia ouvi-la.

——Não sei o que quer dizer——disse ela.

——Estou fralando claro ou não?——continuou a Rã.——Será que você é surda? Que foi que a porta lhe perguntou?

——Nada!——disse Alice com grande impaciência.——Estive batendo nela, é só isso!

——Não devia fazer isso... não devia fazer isso——murmurou a Rã.——Isso a aflige, você sabe.

Aproximou-se e deu então um pontapé na porta com uma das suas grandes patas.

——Deixe *ela* em paz——disse ofegante, enquanto claudicava de volta à árvore——e ela deixará *você* em paz, entendeu?

Nesse momento a porta abriu-se bruscamente e ouviu-se lá de dentro uma voz estridente cantando:

> Ao mundo do Espelho vem Alice e entoa:
> "Tenho o cetro na mão, na cabeça a coroa.
> Criaturas do espelho, comam e bebam por mim,
> Com as duas Rainhas tenha início o festim."

E centenas de vozes entoaram em coro:

> Não há tempo a perder, encham as taças depressa
> E espalhem na mesa botões, farelo à beça:
> Virem gatos no chá e ratões no xerez
> E salve a Rainha Alice por trinta-vezes-três!

Seguiu-se então um confuso rumor de aclamações e Alice pensou consigo mesma: "Trinta vezes três é noventa. Será que alguém está contando?" Um minuto depois o silêncio voltou e a mesma voz estridente cantou nova estrofe:

> Criaturas do Espelho, venham cá sem alarme:
> É uma honra me ver, privilégio escutar-me,
> E é alta deferência vir conosco jantar,
> Comigo e com as Rainhas. Comecemos o chá.

E o coro retornou:

> Encham os copos depressa, com tinta e com melado
> Ou com outro qualquer licor de vosso agrado.
> Misturem areia e cidra, lã com vinho se prove
> E salve a Rainha Alice noventa-vezes-nove!

"Noventa vezes nove!", repetiu Alice, desesperada. "Isso não vai acabar nunca! É melhor entrar de uma vez..." E entrou. Fez-se um silêncio mortal no momento em que ela apareceu.

Alice olhou de relance para a mesa, enquanto atravessava a grande sala, e notou que havia cerca de cinquenta convivas, de todas

as espécies: alguns eram animais da terra, outros eram pássaros e
havia mesmo algumas flores entre eles. "Ainda bem que vieram sem
que eu chamasse", pensou, "pois nunca saberia direito quem é que
eu devia convidar!"

Na cabeceira da mesa, havia três cadeiras. Duas delas estavam
ocupadas pela Rainha Vermelha e a Rainha Branca: a do meio estava vazia. Alice sentou-se nela, pouco à vontade com o silêncio, e
esperou que alguém tomasse a palavra.

Finalmente, a Rainha Vermelha começou a falar.

——Você já perdeu a sopa e
o peixe——disse.——Tragam o
assado!——e os criados coloca-
ram uma perna de carneiro diante
de Alice, que a contemplou algo
aflita, pois nunca tivera de trinchar um assado antes.

——Você parece um pouco
tímida. Deixe-me apresentá-la à
perna de carneiro——disse a Rainha Vermelha.——Alice…Carnei-
ro; Carneiro…Alice.

A perna de carneiro levantou-
-se no prato e fez uma ligeira inclinação para Alice, que devolveu a
mesura, sem saber se devia assustar-se ou divertir-se com aquilo.

——Querem uma fatia?—— perguntou, pegando a faca e o
garfo e olhando de uma para a outra Rainha.

——Certamente não——disse a Rainha Vermelha com ar
decidido.——É contra a etiqueta trinchar alguém a quem se foi
apresentado. Levem o assado!

E os criados carregaram a perna de carneiro, trazendo em seu lugar um grande pudim de ameixas.

——Por favor, não quero ser apresentada ao pudim——apressou-se Alice a dizer——, ou então não teremos jantar nenhum. Querem um pouco?

Mas a Rainha Vermelha parecia intratável e resmungou:

——Pudim... Alice; Alice... Pudim. Levem o pudim!

E os criados o levaram antes mesmo que Alice pudesse devolver-lhe o cumprimento.

Contudo, Alice não via por que a Rainha Vermelha devia ser a única a dar ordens ali. Assim, fez uma experiência, gritando:

——Garçom! Traga o pudim de volta!——e num momento o pudim estava diante dela, como num passe de mágica. Era tão grande que ela não podia deixar de sentir-se *um pouco* intimidada, como tinha ficado com a perna de carneiro. Mas, superando com grande esforço a sua timidez, cortou um pedaço e ofereceu-o à Rainha Vermelha.

——Que impertinência!——disse o Pudim.——Só queria saber se você gostaria de que *lhe* cortassem um pedaço, sua não-sei-o-quê!

Falava com uma espécie de voz grossa e gordurosa, e Alice não sabia o que responder. Podia apenas olhar e arquejar de susto.

——Diga alguma coisa——interveio a Rainha Vermelha——, é ridículo deixar toda a conversa para o pudim.

——Sabe, hoje me recitaram tantas poesias——começou a dizer Alice, meio assustada ao ver que, mal abriu a boca, fez-se um silêncio mortal e todos os olhos se fixaram nela——e é uma coisa muito engraçada, eu acho... todos os poemas eram sobre peixes, de alguma maneira. Por que é que aqui as pessoas gostam tanto de peixe?

Dirigia-se à Rainha Vermelha, cuja resposta desviou-se um pouco da questão.

——Quanto a peixes——disse ela, de maneira solene e vagarosa, colocando a boca perto do ouvido de Alice——, Sua Majestade Branca conhece uma adorável adivinhação, toda em poesia… e toda sobre peixes… Quer que ela recite?

——Sua Majestade Vermelha foi muito amável ao referir-se a isso——murmurou a Rainha Branca no outro ouvido de Alice, numa voz que parecia um arrulho de pombo.——Seria pra mim um prazer *imenso*. Posso?

——Faz favor——respondeu Alice, muito cortês.

A Rainha Branca riu deleitada e deu um tapinha na face de Alice. Começou então:

> Primeiro o peixe deve ser pescado.
> Isso é fácil: um bebê poderia pescá-lo.
> Depois o peixe deve ser comprado.
> Isso é fácil: um vintém basta para comprá-lo.
>
> E agora, eia, a cozinhar o peixe!
> Isso é fácil, um minuto basta só para isso.
> Agora, peço, na travessa o deixes!
> Isso é fácil, porque já está pronto o serviço.
>
> Traga-o sem demora! Vou jantar!
> Ora, é fácil, é somente pôr na mesa a travessa.
> Faça o favor de a tampa levantar!
> Ah, não, *isso* não posso, é difícil, ora essa!

Ela grudou no prato feito cola
E o peixe ao meio o prato prende à tampa.
O que é mais fácil, então, passo-te a bola:
É destampar o prato ou descerrar a trampa?

——Tire um minuto pra pensar e depois adivinhe——disse a Rainha Vermelha.——Enquanto isso, brindaremos à sua saúde... À saúde da Rainha Alice!——gritou a plenos pulmões, com voz estridente. Todos os convidados começaram imediatamente a beber, conduzindo-se de maneira muito esquisita: alguns colocavam os copos virados como apagadores de vela em cima da cabeça e bebiam tudo que lhes escorria pelas faces... outros viravam as garrafas e bebiam o vinho que escorria pelas quinas da mesa... e três deles (que pareciam cangurus) subiram para o prato do carneiro assado e começaram a lamber avidamente o molho, "como porcos num cocho!", pensou Alice.

——Você deve agradecer de maneira bem sentida——disse a Rainha Vermelha a Alice, franzindo o cenho enquanto falava.

——Nós temos que apoiá-la, você sabe——sussurrou a Rainha Branca, enquanto Alice levantava-se obedientemente para falar, embora algo assustada.

——Muito obrigada——sussurrou em resposta à Rainha —, mas não preciso de apoio, dou conta sozinha.

——Não pode ser——disse a Rainha Vermelha com ar decidido.

Assim, Alice tentou submeter-se de bom grado.

("E elas me empurravam *de tal maneira*!", comentou Alice muito depois, ao contar a história do banquete à sua irmã. "Até parecia que queriam me achatar!")

De fato, foi um pouco difícil para ela conservar-se no lugar enquanto fazia o discurso: as duas Rainhas a empurravam tanto, cada uma de seu lado, que pouco faltou para ficar suspensa nos ares.

——Levanto-me para agradecer...——começou Alice: e de fato, ela se *levantou* vários centímetros enquanto falava, mas segurou-se à borda da mesa, conseguindo baixar até o chão.

——Tome cuidado!——guinchou a Rainha Branca segurando o cabelo de Alice com ambas as mãos.——Alguma coisa vai acontecer!

E então (como Alice contou depois), toda espécie de coisa começou a acontecer de repente. Os candelabros cresceram até o teto, parecendo uma plantação de juncos com fogos de artifícios na ponta. Quanto às garrafas, cada uma pegou um par de pratos, aos quais se ajustaram como se fossem asas, e usando os garfos como se fossem pernas, saíram esvoaçando em várias direções. "E na verdade como parecem pássaros", pensou Alice, tanto quanto podia pensar, na medonha confusão que se desencadeara.

Nesse momento ela ouviu um riso rouco a seu lado e voltou-se para ver o que tinha acontecido com a Rainha Branca. Mas, ao invés da Rainha, estava a perna de carneiro sentada na cadeira.

——Aqui estou eu!——gritou a voz ainda da terrina de sopa, e Alice voltou-se a tempo de ver o rosto largo e afável da Rainha careteando para ela na borda da terrina, antes de desaparecer dentro da sopa.

Não havia nem um momento a perder. Já diversos convidados jaziam nos pratos, e a concha de sopa estava andando na mesa na direção de Alice, fazendo sinais para que ela se afastasse do caminho.

——Não posso mais aguentar isso! —— gritou ela, saltando e segurando a toalha da mesa com ambas as mãos: um bom puxão, e pratos, travessas, convidados e candelabros vieram abaixo, amontoando-se em pilha no chão.

——E quanto à *senhora* ——continuou, voltando-se

ameaçadoramente para a Rainha Vermelha, a quem considerava como a causa de toda aquela desordem... Mas a Rainha não estava mais a seu lado... Ela havia subitamente diminuído, a ponto de não parecer mais do que uma pequena boneca, e estava agora na mesa, correndo alegremente em círculo, a perseguir seu próprio xale, que flutuava atrás dela.

Em qualquer outra ocasião Alice teria se surpreendido com isso, mas estava excitada demais para se surpreender com *qualquer* coisa.

—— Quanto à *senhora* —— repetiu, segurando a pequena criatura, justamente quando esta saltava por cima de uma garrafa que acabara de cair na mesa ——, vou sacudi-la até transformá-la numa gatinha, é o que vou fazer!

CAPÍTULO X.

SACUDIDELA.

Arrancou-a da mesa enquanto falava e começou a sacudi-la de um lado para o outro com toda a força.

A Rainha Vermelha não opôs a menor resistência. Mas sua cara ficou cada vez menor e os olhos ficaram grandes e verdes. E depois, enquanto Alice continuava a sacudi-la, ela foi ficando cada vez menor… e mais gorda… e mais arredondada e…

CAPÍTULO XI.

DESPERTANDO.

... e, no fim de contas, era *mesmo* uma gatinha.

CAPÍTULO XII.

QUEM SONHOU ISSO?

——Vossa Vermelha Majestade não devia ronronar tão alto—— disse Alice, esfregando os olhos e dirigindo-se à gatinha ainda respeitosamente, embora com certa severidade.——Você me acordou de um sonho... oh, mas um sonho tão lindo! E você esteve o tempo todo comigo, Kitty, através do mundo do Espelho. Sabia disso, querida?

É um hábito muito inconveniente dos gatinhos (Alice já tinha observado isso) responderem *sempre* com um rom-rom a qualquer coisa que se diga. "Se ao menos eles fizessem rom para 'sim' e miau para 'não', ou qualquer regra desse tipo", ela se dizia, "então já se podia continuar uma conversa. Mas *como* conversar com alguém que *sempre* diz a mesma coisa?"

Nesse exato momento, a gatinha apenas ronronou. E era impossível adivinhar se ela queria dizer "sim" ou "não".

Assim, Alice pôs-se a mexer entre as peças de xadrez em cima da mesa, até encontrar a Rainha Vermelha. Ajoelhou-se então diante da lareira e colocou a gatinha e a Rainha face a face.

——Vamos, Kitty!——gritou, batendo as mãos em triunfo—— Você tem de confessar que foi nela que você se transformou!

("Mas ela nem olhou para a Rainha", disse Alice depois, ao contar à irmã o que acontecera. "Virou a cabeça para o outro lado, fingindo que não estava vendo nada. Mas parecia um *pouco* envergonhada, e por isso——acho que ela *deve* ter sido a Rainha Vermelha".)

——Fique um pouco mais empertigada, querida!——gritou Alice com um riso alegre.——E faça uma mesura enquanto estiver pensando no que vai...no que vai ronronar. Assim você ganha tempo, lembre-se!

Levantou a gatinha e deu-lhe um pequeno beijo "em homenagem por ter sido a Rainha Vermelha, veja bem!"

——Floco de Neve, minha querida!——continuou, olhando por cima do ombro para a gatinha branca, que ainda estava pacientemente se submetendo à sua toalete. ——*Quando* é que Dinah vai acabar de lavar Vossa Branca Majestade, hein? Deve ser por isso que você aparece tão desmazelada no meu sonho… Dinah! Sabe que você está esfregando uma Rainha Branca? É verdade, você está sendo muito indelicada, sabe? Surpreendo-me com sua falta de respeito!

——*E Dinah*, em que é que se transformou? Gostaria de saber! ——continuou Alice tagarelando, estendendo-se confortavelmente no chão, com o cotovelo no tapete e o queixo apoiado na mão, contemplando as gatinhas. ——Me diga, Dinah, será que você era Humpty Dumpty? *Aposto* que era… mas é melhor não dizer nada aos seus amigos por enquanto, não tenho certeza.

——Aliás, Kitty, se você realmente estivesse no meu sonho, pelo menos de uma coisa você *teria* gostado… eu ouvi tantas poesias recitadas, e tudo sobre peixes! Amanhã de manhã você vai ter uma verdadeira festa. Enquanto você estiver tomando seu almoço eu vou lhe recitar "A Morsa e o Carpinteiro". E assim você pode fazer de conta que está comendo ostras, minha querida!

——E agora, Kitty, vejamos: quem foi que sonhou tudo isso? Essa é uma questão muito séria, minha cara, e você *não* deve ficar lambendo a pata desse jeito… como se Dinah não tivesse lavado você hoje de manhã! Veja bem, Kitty, *deve* ter sido ou eu ou o Rei Vermelho. Ele fazia parte do meu sonho, é claro… mas eu também fazia parte do seu sonho! *Terá sido* o Rei Vermelho, Kitty? Você era a mulher dele, minha cara, portanto deve saber… Ah, Kitty, me ajude a resolver isso! Sua pata pode esperar, tenho certeza! ——mas a irritante gatinha simplesmente pôs-se a lamber a outra pata e fingiu que não tinha ouvido nada.

E *você*, quem é que *você* acha que sonhou?

Ao sol brilhante segue o barco em frente.
Lento desliza, sonhadoramente,
Inclinando-se à voga na corrente...

Caras crianças, um trio a escutar,
Excitamento e brilho em seu olhar
Por tão singelo conto a palpitar...

Longe se vai aquele céu dourado,
Eco que se esmorece, do passado:
Ao sol de estio, sucede outono e enfado.

Sempre me perseguindo essa lembrança:
Alice, sombra no céu que não se alcança,
Nunca vista por olhos sem esperança.

Contudo, vejo-as ainda a palpitar,
Em seus rostos acesos este olhar
Luzindo de avidez ao escutar.

Imagens de um país de maravilhas,
Distantes neste sonho onde o sol brilha,
Distante sonho onde o verão se estilha.

Elas deslizam ao longe, no entressonho,
Lentamente, sob um céu risonho…
Longe. A vida o que é, senão sonho?

FIM.

DOIS PARADOXOS.

LEWIS CARROLL.

O texto a seguir foi publicado originalmente em *Mind*,
vol.4, abr. 1885, pp. 278-280.

O QUE A TARTARUGA DISSE A AQUILES.

Aquiles tinha alcançado a tartaruga e sentara-se confortavelmente no dorso do animal.

—Então você chegou ao fim da nossa corrida?—disse a Tartaruga.—Embora ela *consista* numa série infinita de distâncias? Não houve aí um sabichão qualquer que provou que isso seria impossível de ser feito?

—*Pode*, sim—disse Aquiles.—E já *foi* feito! *Solvitur ambulando.* Veja bem, as distâncias foram *diminuindo* constantemente, e assim...

—Mas, e se elas tivessem *aumentado* constantemente—interrompeu a Tartaruga.—Que aconteceria, então?

—Então eu não estaria *aqui*—respondeu Aquiles, modestamente—e *você*, enquanto isso, já teria dado várias voltas em torno do mundo.

—Você me faz ficar tonta, isto é, *torta*—disse a Tartaruga—, pois pesa um bocado, *não* há dúvida! Bem, vamos ver, você gostaria de que eu falasse sobre uma corrida que a maior parte das pessoas imagina poder acabar em dois ou três passos quando *de fato* ela consiste em um número infinito de distâncias, cada uma mais longa do que a anterior?

—Com todo o prazer!—disse o guerreiro grego, enquanto tirava do seu capacete (eram raros os guerreiros gregos que tinham *bolsos* naquela época) uma enorme agenda e um lápis.—Continue! E vá *devagar*, por favor! Ainda não inventaram a *estenografia*!

—Ah, aquela linda Primeira Proposição de Euclides—disse a Tartaruga, sonhadoramente.—Você é fã de Euclides?

—Sou louco por ele! Até o ponto, é claro, em que se *pode* admirar um tratado que só será publicado daqui a vários séculos.

—Bem, vejamos uma pequena parte do argumento naquela Primeira Proposição. Só as duas primeiras etapas e a conclusão

que se tira delas. Tenha a bondade de anotar no seu caderninho.
E, para facilitar as coisas, vamos chamá-las de A, B e Z:

(A) Duas coisas que são iguais a uma terceira são iguais entre si.

(B) Os dois lados deste triângulo são iguais a um terceiro.

(Z) Os dois lados deste triângulo são iguais entre si.

Os leitores de Euclides admitirão, suponho, que Z se deduz logicamente de A e B, e portanto que qualquer um que tenha aceito A e B como verdadeiro *deve* aceitar Z como verdadeiro, certo?

— Sem a menor dúvida! Qualquer menino de curso secundário, assim que se inventarem os colégios, o que não ocorrerá antes de dois mil anos, admitirá *isso*.

— E se algum leitor *não* tivesse aceito ainda A e B como verdadeiros, ele poderia aceitar, penso eu, a sequência lógica como válida, ou não?

— Não há dúvida de que tal leitor poderia existir. Ele poderia dizer: "Aceito como verdadeira a proposição hipotética de que se A e B são verdadeiros, Z deve ser verdadeiro; mas *não* aceito A e B como verdadeiros". Tal leitor faria muito bem se deixasse Euclides de lado e fosse cuidar de futebol.

— E não poderia haver *também* algum leitor que dissesse: "Aceito A e B como verdadeiros, mas *não* aceito a proposição hipotética"?

— Certamente poderia. *Ele* também faria melhor em ir cuidar de futebol.

— E *nenhum* desses leitores — continuou a Tartaruga — é forçado até aqui, por qualquer necessidade lógica, a aceitar Z como verdadeiro, não é assim?

— Inteiramente certo — concordou Aquiles.

— Bem, vamos dizer que você me considere um leitor da *segunda* espécie, e que me obrigue, logicamente, a aceitar Z como verdadeiro.

— Uma tartaruga jogando futebol seria... — começou Aquiles.

—...uma anomalia, é claro—interrompeu vivamente a Tartaruga.—Não se desvie da questão. Primeiro Z, depois o futebol.

—Então eu tenho de obrigá-la a aceitar Z, não é?—disse Aquiles pensativamente.—E sua posição atual é a de que aceita A e B, mas *não* aceita a proposição hipotética...

—Vamos chamá-la de C—disse a Tartaruga.

—...mas não aceita: (C) Se A e B são verdadeiros, Z deve ser verdadeiro.

—Essa é a minha posição atual.

—Nesse caso tenho de lhe pedir que aceite C.

—Eu o farei—disse a Tartaruga—desde que você tenha anotado isso nesse caderninho. Que mais você tem escrito aí?

—Só umas poucas anotações—disse Aquiles folheando as páginas nervosamente—, umas poucas anotações das... das batalhas em que me distingui.

—Está cheio de folhas em branco, estou vendo—observou a Tartaruga, com animação.—Vamos precisar de *todas*! (Aquiles estremeceu.) E agora, escreva o que vou ditar:

(A) As coisas que são iguais a uma terceira são iguais entre si.

(B) Os dois lados deste triângulo são coisas que são iguais a uma terceira.

(C) Se A e B são verdadeiros, Z deve ser verdadeiro.

(Z) Os dois lados deste triângulo são iguais entre si.

—Você devia chamar este último de D, e não Z—disse Aquiles.—Ele vem *logo depois* dos outros três. Se você aceita A e B e C, *deve* aceitar Z.

—Por que *devo*?

—Porque se deduz logicamente deles. Se A e B e C são verdadeiros, Z *deve* ser verdadeiro. Você não vai contestar *isso*, não é mesmo?

—Se A e B e C são verdadeiros, Z *deve* ser verdadeiro—repetiu pensativamente a Tartaruga.—Esta é *outra* proposição hipotética, não é? E se eu não conseguisse ver a verdade desta proposição, poderia aceitar A e B e C e, ainda assim, *não* aceitar Z, poderia?

—Poderia—admitiu honestamente o herói—, embora tal obtusidade fosse, com certeza, fenomenal. Em todo o caso, a coisa é *possível*. Portanto lhe peço para admitir mais uma proposição hipotética.

—Muito bem. Estou pronta para fazê-lo, assim que você a tenha anotado. Vamos chamá-la de

(D) Se A e B e C são verdadeiros, Z deve ser verdadeiro.

Já anotou no seu caderninho?

—Já!—exclamou Aquiles jovialmente, enquanto colocava a caneta dentro do estojo.—E aqui chegamos ao fim da nossa corrida imaginária! Pois se você aceita A e B e C e D, é claro que aceita Z.

—Aceito?—disse a Tartaruga com ar inocente.—Vamos deixar as coisas claras. Aceito A e B e C e D. Mas, e se eu *ainda* recusar a aceitar Z?

—Então a Lógica lhe pegaria pelo gasnete e lhe forçaria a aceitar—replicou Aquiles com ar de triunfo.—A Lógica lhe diria: "Agora não tem mais jeito. Pois se você aceitou A e B e C e D, você tem de aceitar Z!" Portanto, você não tem saída, entendeu?

—Qualquer coisa que a Lógica me diga é digna de ser *anotada*—disse a Tartaruga.—Portanto, escreva aí no caderno, por favor. Chamaremos essa proposição de

(E) Se A e B e C e D são verdadeiros, Z deve ser verdadeiro.

Até que eu tenha admitido *esta* proposição, é claro, não preciso admitir Z. Portanto, esta é uma etapa *necessária*, entende?

—Entendo—disse Aquiles, e havia um acento de tristeza em sua voz.

Nesse ponto o narrador, tendo negócios urgentes a resolver no banco, foi forçado a deixar o feliz par e só pôde voltar ao mesmo ponto alguns meses depois. Ao fazê-lo, Aquiles estava ainda sentado no dorso da paciente Tartaruga, anotando no seu caderno de apontamentos, já todo rabiscado. A Tartaruga estava dizendo:

— Já anotou esta última etapa? A menos que eu tenha perdido a conta, é a milésima primeira. Ainda tem vários milhões pela frente. Será que você se *importaria* de eu pedir um favor pessoal? Levando em conta a utilidade considerável que terá este nosso diálogo para os lógicos do século XIX, você se importaria de que eu fizesse um trocadilho com você, tal como, nessa época futura, a minha prima, a Falsa Tartaruga, poderia fazer, e não levaria a mal se eu o chamasse de Desaquilibrado?

— Fique à vontade! — replicou o exausto guerreiro, ocultando o rosto nas mãos, no auge do desespero. — Contanto que *você*, de sua parte, não se incomodasse de adotar para você mesma um trocadilho que a Falsa Tartaruga realmente fará, permitindo que os outros possam apelidá-la de Torturuga.

NOTA.

O original é "What the Tortoise Said to Achilles". *Tortoise*, em inglês, quer dizer *cágado*. Na presente tradução preferiu-se tartaruga a fim de manter-se o jogo verbal com a palavra torturuga. Para tanto, no final há uma ligeira adaptação do original. O mesmo jogo tartaruga/torturuga encontra-se no capítulo "A história da Falsa Tartaruga" em *Alice no País das Maravilhas*. (N. do T.)

O texto a seguir foi publicado originalmente em *Mind*, vol. 3, n. 11, jul. 1894, pp. 436-438.

UM PARADOXO LÓGICO.

—Como? Não há nada o que fazer?—disse o Tio Jaime.—Então vamos juntos até o Aristóteles. Você pode dar uma voltinha no quarteirão enquanto faço a barba, está bem?

—Perfeito—concordou Tio João.—Portanto, Bebeto vem conosco, não?

Esse "Bebeto", como o leitor terá talvez adivinhado, sou eu. Já completei *quinze* anos, há mais de três meses. Mas não adianta informar *isso* ao Tio Jaime. Ele continuará a dizer "Espero que você já tenha aprendido o alfabebeto" ou qualquer outra piada desse gênero. Outro dia ele me pediu para lhe dar um exemplo de proposição em A. E eu disse: "Todos os tios fazem piadas infames". Parece que ele não gostou muito. Contudo, isso não vem ao caso. Eu fiquei muito contente de ir. Adoro ouvir esses meus tios "cortarem a lógica em pedacinhos", como eles dizem. E nisso eles são infernais, posso garantir.

—Não creio que haja essa inferência lógica do que eu disse—comentou Tio Jaime.

—Não disse que havia—replicou Tio João.—É uma *Reductio ad Absurdum*.

—Um *Desenvolvimento Ilícito da Menor*—exultou Tio Jaime.

Essa é a espécie de diálogo que eles têm quando estou junto. Como se fosse muito engraçado me chamar de Menor. Depois de algum tempo, quando já avistávamos a barbearia, Tio Jaime recomeçou:

—Espero que Carlão esteja lá—ele disse.—Borges é tão desajeitado. E Aristóteles está com a mão tremendo desde que teve aquela febre.

—*Sem dúvida* o Carlão está lá—afirmou Tio João.

—Aposto cinquenta pratas que ele *não está*!—disse eu.

—Guarde as suas pratas lá para as suas pretas!—disse Tio João.—Isto é—apressou-se a acrescentar, ao ver o meu sorriso de mofa pelo seu deslize—, quero dizer que posso *provar* isso logicamente. Não é só uma questão de acaso.

—Provar isso *logicamente*!—escarneceu Tio Jaime.—Vamos lá, então. Eu o desafio.

—Como hipótese inicial—começou Tio João—vamos admitir que o Carlão está ausente. E vejamos qual o resultado dessa suposição. Para tanto vou usar o princípio da *Reductio ad Absurdum*.

—Claro que vai—grunhiu Tio Jaime.—Nunca vi nenhuma discussão com você que não terminasse em algum absurdo.

—Sem me deixar melindrar pelos seus insultos desprezíveis—disse Tio João, altaneiro—, continuarei. Estando Carlão ausente, você admitirá que, se Aristóteles *também* estiver ausente, Borges sem dúvida deve estar lá.

—O que é que me interessa que *ele* esteja lá?—disse Tio Jaime.— Não quero me barbear com *Borges*. Ele é desastrado demais.

—A paciência é uma dessas virtudes inestimáveis—ia dizendo Tio João, mas Tio Jaime cortou logo.

—*Argumentos*!—exclamou—E nada de *moral*.

—Bem, mas você admite ou não?—insistiu Tio João.—Você admite que, se Carlão está ausente, segue-se que, se Aristóteles está ausente, Borges *deve* estar lá?

—Claro que sim—disse Tio Jaime.—Ou então não haveria ninguém para tomar conta do salão.

—Vemos, por conseguinte, que a ausência de Carlão introduz uma certa proposição hipotética, cuja *prótase* é "Aristóteles está ausente" e cuja *apódose* é "Borges está lá dentro". E concluímos que, na medida em que Carlão permanecer ausente, esta proposição hipotética conserva a sua validade, não?

—Bem, vamos admitir que sim. E daí?—disse Tio Jaime.

—Você também admitirá que a verdade de uma proposição hipotética—isto é, a sua *validade* enquanto sequência lógica—não depende de maneira nenhuma de que a sua *prótase* seja realmente verdadeira e nem sequer de que seja possível. A proposição hipotética "Se você chegasse daqui a Londres em cinco minutos surpreenderia todo mundo" permanece verdadeira enquanto sequência lógica, quer você seja capaz de fazer isso ou não.

—Não sou capaz *disso*—reconheceu Tio Jaime.

—Temos agora que considerar *outra* proposição hipotética. O que foi que você me disse ontem sobre Aristóteles?

—Eu disse—respondeu Tio Jaime—que desde que ele teve aquele acesso de febre ficou tão nervoso de sair sozinho que leva sempre Borges consigo.

—Justamente—disse Tio João.—Nesse caso a proposição hipotética "Se Aristóteles está ausente, Borges está ausente" é *sempre* válida, não é assim?

—Acho que sim—respondeu Tio Jaime (parecia ter ficado um tanto nervoso nesse momento).

—Portanto, se Carlão está ausente, nós temos *duas* proposições hipotéticas, ambas válidas ao mesmo tempo: "Se Aristóles está ausente, Borges está presente" e "Se Aristóteles está ausente, Borges está ausente". Observe que são duas proposições hipotéticas *incompatíveis*. Elas *não podem* ser verdadeiras ao mesmo tempo!

—Não *podem*?—perguntou Tio Jaime.

—*Como* podem?—disse Tio João.—Como uma única *prótase* pode comprovar duas *apódoses* contraditórias? Você admite que as duas apódoses "Borges está *presente*" e "Borges está *ausente*" são contraditórias, não é?

—Sim, admito *isso*—concordou Tio Jaime.

—Então vou resumir—disse Tio João.—Se Carlão estiver ausente, essas duas proposições hipotéticas são simultaneamente verdadeiras. E nós sabemos que elas não podem ser simultaneamente verdadeiras. Isso é absurdo. Portanto, Carlão não pode estar ausente. Eis aí uma linda *Reductio ad Absurdum*!

Tio Jaime parecia completamente desconcertado. Mas após alguns instantes recobrou sua coragem e recomeçou:

— Não estou muito convencido dessa incompatibilidade. Por que essas duas proposições hipotéticas não podem ser verdadeiras ao mesmo tempo? Parece-me que isso simplesmente provaria que "Aristóteles está presente". Obviamente, é claro que as apódoses dessas duas proposições hipotéticas são incompatíveis— "Borges está presente" e "Borges está ausente". Mas por que não colocar isso da seguinte maneira: Se Aristóteles está ausente, Borges está ausente. Se Carlão e Aristóteles estão ambos ausentes, Borges está presente. O que é absurdo. Por conseguinte, Carlão e Aristóteles não podem estar ausentes ao mesmo tempo. Mas, na medida em que Aristóteles esteja presente, não vejo como obstar que Carlão se ausente.

— Meu querido, mas bastante ilógico irmão!— disse Tio João (quando, em qualquer ocasião, o Tio João começar a chamá-lo de "querido", pode ficar certo de que vai colocá-lo num beco sem saída).— Você não vê que está dividindo erroneamente a *prótase* e a *apódose* dessa proposição hipotética. Sua *prótase* é simplesmente "Carlão está ausente"; e sua *apódose* é uma espécie de subproposição hipotética: "Se Aristóteles está ausente, Borges está presente". E esta é uma *apódose* totalmente absurda, pois irremediavelmente incompatível com aquela outra proposição hipotética que sabemos que é sempre verdadeira: "Se Aristóteles está ausente, Borges está ausente". E apenas a presunção de que "Carlão está ausente" é a causadora desse absurdo. Portanto, só existe uma conclusão possível: Carlão está presente!

Quanto tempo tal discussão *poderia* durar, não tenho a menor ideia. Creio que ambos poderiam argumentar durante seis horas a fio. Mas, naquele momento preciso acabávamos de chegar à porta da barbearia. E, entrando nela, vimos que...

DOUBLETS
DE LEWIS CARROLL.

SEBASTIÃO UCHOA LEITE
E AUGUSTO DE CAMPOS.

Em março de 1879 apareceu nas páginas da revista *Vanity Fair* a seguinte carta de Lewis Carroll, sobre um novo *puzzle* de sua criação, os *doublets*:

Dear Vanity,

Há um ano atrás, no Natal, duas jovens—sofrendo daquele mais pungente dos flagelos da humanidade feminina, o de "não ter o que fazer"—rogaram-me que lhes mandasse "algumas charadas". Mas eu não tinha nada à mão, e portanto propus-me a maquinar alguma outra espécie de tortura verbal que servisse ao mesmo fim. O resultado das minhas meditações foi uma nova espécie de quebra-cabeça—nova pelo menos para mim—que, agora que foi testado com êxito durante um ano de experiência e encomendado por muitas pessoas amigas, ofereço a vocês, noz recém-colhida, pronta para ser rompida pelos onívoros dentes que já mastigaram tantos dos nossos Duplos Acrósticos.

As regras são bastante simples. Duas palavras são propostas, com a mesma extensão. O quebra-cabeça consiste em ligá-las pela interposição de outras palavras, cada uma diferindo da anterior *apenas em uma letra*. Isto é, uma letra deve ser mudada numa das duas palavras, depois outra na nova palavra obtida, e assim por diante, até chegar à outra palavra proposta. As letras não podem ser trocadas entre si, cada uma tem de conservar o seu próprio lugar. Como exemplo, a palavra *head* (cabeça) pode ser transformada em *tail* (cauda) pela interposição das palavras *heal, teal, tell, tall*. Chamo as duas palavras de *doublet* (parelha), as palavras interpostas de *elos*, e a série inteira de *cadeia*, da qual lhes dou aqui um exemplo:

```
H E A D
h e a l
t e a l
t e l l
t a l l
T A I L
```

É desnecessário dizer, talvez, que é *de rigueur* que os elos devem ser palavras inglesas, correntemente usadas.

Os *doublets* mais fáceis são aqueles em que as consoantes de uma palavra correspondem a consoantes na outra, e as vogais a vogais; *head* e *tail* constituem um *doublet* desta espécie. Quando não é o caso, como em *head* e *hare*, a primeira coisa a ser feita é transformar um membro do *doublet* numa palavra cujas consoantes e vogais correspondam àquelas do outro membro (ex.: "head, herd, here"), depois do que quase nunca é difícil completar a cadeia.

Já ouvi falar de que há um jogo americano que envolve princípio semelhante. Nunca o vi e posso apenas dizer de seus inventores *"pereant qui ante nos nostra dixerunt"*!

LEWIS CARROLL.

Carroll propôs muitos *doublets* aos leitores de *Vanity Fair*, alguns deles, como era de se esperar, sendo opostos, como *Tears/ Smile*, *Black/ White* ou *Winter/ Summer*. Embora curtos na maioria, pois uma das regras dos *doublets* era usar o menor número possível de "elos", alguns são extensos, como *Winter/ Summer*, que se trata de exemplo famoso, e por isso o reproduzimos:

```
W  I  N  T  E  R
w  i  n  n  e  r
w  a  n  n  e  r
w  a  n  d  e  r
w  a  r  d  e  r
h  a  r  d  e  r
h  a  r  p  e  r
h  a  m  p  e  r
d  a  m  p  e  r
d  a  m  p  e  d
d  a  m  m  e  d
d  i  m  m  e  d
d  i  m  m  e  r
s  i  m  m  e  r
S  U  M  M  E  R
```

Carroll ideou depois um jogo bem mais complexo do que os *doublets*, ligando palavras de extensão diferente através de grupos de letras, mas o jogo foi rejeitado por *Vanity Fair*, doze anos depois.

O poeta Augusto de Campos criou alguns *doublets* em português segundo a técnica carrolliana, aproveitando para inventar os *triplets* como em Manhã/Tarde/Noite. Aqui os reproduzimos.

```
L  O  N  G  E
m  o  n  g  e
m  o  n  t  e
p  o  n  t  e
p  o  n  t  o
p  o  r  t  o
P  E  R  T  O
```

```
C  E  R  T  O          D  E  U  S
c  u  r  t  o          m  e  u  s
f  u  r  t  o          m  a  u  s
f  a  r  t  o          m  a  i  s
f  a  l  t  o          c  a  i  s
F  A  L  S  O          C  A  O  S


T  E  R  R  A          L  I  X  O
t  o  r  r  a          l  u  x  o
t  o  r  t  a          l  u  t  o
m  o  r  t  a          p  u  t  o
m  o  r  t  e          p  u  r  o
M  A  R  T  E          O  U  R  O


P  R  O  S  A          T  U  D  O
p  r  e  s  a          l  u  d  o
p  r  e  t  a          l  o  d  o
p  o  e  t  a          l  a  d  o
P  O  E  M  A          n  a  d  o
                      N  A  D  A


F  O  G  O             S  I  M
f  o  r  o             v  i  m
f  o  r  a             v  e  m
f  u  r  a             n  e  m
a  u  r  a             n  e  o
a  g  r  a             N  Ã  O
Á  G  U  A
```

```
C  É  U          P  R  E  S  O
c  e  m          p  r  e  g  o
c  o  m          p  r  e  g  a
c  o  r          p  r  a  g  a
d  o  r          t  r  a  g  a
d  a  r          t  r  a  v  a
M  A  R          t  o  a  v  a
                 t  o  a  r  a
                 t  i  a  r  a
B  E  M          f  i  a  r  a
s  e  m          f  i  b  r  a
s  o  m          l  i  b  r  a
s  o  l          l  i  v  r  a
s  a  l          L  I  V  R  E
M  A  L

                 M  A  N  H  Ã
S  O  L          m  a  n  h  a
s  u  l          m  a  n  d  a
s  u  a          m  a  n  d  o
L  U  A          b  a  n  d  o
l  o  a          b  a  r  d  o
s  o  a          t  a  r  d  o
S  O  L          T  A  R  D  E
                 t  a  r  d  o
                 t  o  r  d  o
                 m  o  r  d  o
                 m  o  r  t  o
                 m  o  r  t  e
                 n  o  r  t  e
                 N  O  I  T  E
```

AGRADECIMENTO E NOTA SOBRE A TRADUÇÃO.

Dois agradecimentos merecem registro especial. Primeiro, a José Laurenio de Melo, poeta e tradutor de notáveis méritos, pela paciência com que leu os originais desta tradução, sugerindo valiosas alternativas, no texto, funcionando muitas vezes como cotradutor. Quero citar a contribuição dele sobretudo no capítulo "Insetos do espelho", sugerindo os nomes dos insetos. Vali-me, também, da lição das diversas passagens de Carroll citadas por W. Empson no ensaio "A criança como zagal", traduzido por Laurenio. É a melhor lição da prosa de Carroll em português, nessa tradução perfeita que figura em *Teoria da literatura em suas fontes*, organizado por Luiz Costa Lima.

Segundo, ao poeta Augusto de Campos, por ceder para esta tradução as suas tão criativas versões do "Jabberwocky" ("Jaguadarte"), do "Recado aos peixes" e da canção da sopa cantada pela Falsa Tartaruga, além de me remeter alguns *doublets* por ele criados segundo a técnica carrolliana. Augusto é também autor de belo texto sobre Carroll e Edward Lear publicado no *Suplemento Literário Minas Gerais*, sob o título "Homenagem ao *nonsense*", uma das raras (ou única?) contribuições críticas brasileiras ao tema do *nonsense*.

Finalmente, agradeço aos livros de/sobre Carroll dados ou emprestados por Antonio Bulhões, Dirce Riedel, Luiz Costa Lima e Montez Magno, aos que quiseram ver editada esta tradução e aos meus amigos da Editora Fontana. Agradeço a todos a amizade e as gentilezas.

Esta tradução está longe de ser perfeita. O projeto original do livro incluía ainda *The Hunting of the Snark* e seleções de *Sylvie and Bruno*, mas tais foram as dificuldades encontradas nos textos das *Alices*, que encurtei o projeto, pelo menos por enquanto. Não me dou por satisfeito com várias soluções, que espero, em edições futuras, melhorar. Creio que, pelo menos, esta é a primeira versão de Carroll para adultos no Brasil, enfrentando os problemas do texto e dos poemas, em geral contornados em numerosas adaptações, por motivos compreensíveis. E o resto a tradução dirá por si mesma.

SEBASTIÃO UCHOA LEITE.

COLEÇÃO FÁBULA. Fábula: do verbo latino *fari*, "falar", como a sugerir que a fabulação é extensão natural da fala e, assim, tão elementar, diversa e escapadiça quanto esta; donde também falatório, rumor, diz-que-diz, mas também enredo, trama completa do que se tem para contar (*acta est fabula*, diziam mais uma vez os latinos, para pôr fim a uma encenação teatral); "narração inventada e composta de sucessos que nem são verdadeiros, nem verossímeis, mas com curiosa novidade admiráveis", define o padre Bluteau em seu *Vocabulário português e latino*; história para a infância, fora da medida da verdade, mas também história de deuses, heróis, gigantes, grei desmedida por definição; história sobre animais, para boi dormir, mas mesmo então todo cuidado é pouco, pois há sempre um lobo escondido (*lupus in fabula*) e, na verdade, "é de ti que trata a fábula", como adverte Horácio; patranha, prodígio, patrimônio; conto de intenção moral, mentira deslavada ou quem sabe apenas "mentirada gentil do que me falta", suspira Mário de Andrade em "Louvação da tarde"; início, como quer Valéry ao dizer, em diapasão bíblico, que "no início era a fábula"; ou destino, como quer Cortázar ao insinuar, no *Jogo da amarelinha*, que "tudo é escritura, quer dizer, fábula"; fábula dos poetas, das crianças, dos antigos, mas também dos filósofos, como sabe o Descartes do *Discurso do método* ("uma fábula") ou o Descartes do retrato que lhe pinta J.B.Weenix em 1647, de perfil, segurando um calhamaço onde se entrelê um espantoso *Mundus est fabula*; ficção, não-ficção e assim infinitamente; prosa, poesia, pensamento.
RAUL LOUREIRO, SAMUEL TITAN JR.

SOBRE O AUTOR. Charles Lutwidge Dodgson, mais conhecido sob o pseudônimo de Lewis Carroll, nasceu em Daresbury, Inglaterra, em 27 de janeiro de 1832. Filho de um pastor anglicano, graduou-se em matemática em Oxford, em 1854, e permaneceu ligado a seu *college*, Christ Church, por toda a vida, lecionando e publicando nas áreas de geometria, álgebra e lógica matemática. Terminados os estudos, começou a publicar contos e poemas, de teor sobretudo humorístico (o famoso pseudônimo apareceu pela primeira vez ao pé de um poema romântico publicado em *The Train*, em 1856). Ao mesmo tempo, dava seus primeiros passos como fotógrafo diletante, chegando a produzir cerca de três mil imagens, sobretudo retratos de amigos e de crianças. Nesse mesmo ano de 1856, Carroll passou a frequentar a família de Henry Liddell, novo reitor de Christ Church, tornando-se próximo de sua esposa e de suas três filhas, Lorina, Edith e Alice. Durante um passeio de barco com as três crianças, em 4 de julho de 1862, concebeu as linhas gerais do que viria a ser a trama de *Aventuras de Alice no País das Maravilhas*. Carroll acabou por redigir uma primeira versão da história, que ofereceu à caçula dos Liddell em novembro de 1864 na forma de um caderno manuscrito e ilustrado pelo próprio Carroll, sob o título de *Alice's Adventures Under Ground*. Nesse meio-tempo, o manuscrito chegara às mãos da editora Macmillan, que imediatamente aceitou publicá-lo. A primeira edição saiu em 1865, ilustrada por John Tenniel e com enorme sucesso comercial. O segundo volume protagonizado pela heroína, *Através do espelho e o que Alice encontrou lá*, saiu em 1871, sempre com desenhos de Tenniel. A veia fantástica ditou-lhe ainda um poema longo, *The Hunting of the Snark* (1876), marcado pela invenção verbal e pelo *nonsense*. Finalmente, três décadas após a primeira *Alice*, Carroll publicaria *Sylvie and Bruno* (1895), cuja trama alterna entre a Inglaterra interiorana e diversos reinos feéricos. Lewis Carroll morreu em 14 de janeiro de 1898, na casa de suas irmãs em Guildford, vitimado por uma pneumonia.

SOBRE O ILUSTRADOR. John Tenniel nasceu em Londres, em 28 de fevereiro de 1820. Largamente autodidata, frequentou a Royal Academy of Arts, sem contudo concluir os estudos. Em meados da década de 1840, começou a ganhar fama como desenhista e ilustrador, e em 1851 publicou seu primeiro *cartoon* nas páginas de *Punch*, a principal revista de sátira política da época, fundada dez anos antes—a própria palavra *cartoon* ganhou seu sentido moderno nas páginas do semanário. Ao longo das cinco décadas seguintes, Tenniel publicou mais de dois mil desenhos na revista, convertendo-se numa celebridade nacional e recebendo o título de *sir* das mãos da rainha Victoria. Em 1864, foi convidado por Charles Dodgson/Lewis Carroll, leitor de *Punch*, a ilustrar *Aventuras de Alice no País das Maravilhas*. A primeira edição do romance, publicada no ano seguinte, contava com 42 desenhos de Tenniel, aos quais se somariam os 50 que realizou em 1871 para *Através do espelho*. John Tenniel aposentou-se em 1901 e faleceu em Londres, em 25 de fevereiro de 1914.

SOBRE O TRADUTOR. Sebastião Uchoa Leite nasceu em Timbaúba, Pernambuco, em 31 de janeiro de 1935. Estudou Direito e Filosofia em Recife, onde começou a tomar parte na vida literária: seu primeiro livro de poemas, *Dez sonetos sem matéria*, foi publicado por O Gráfico Amador, de Aloysio Magalhães, em 1960. Mudou-se em 1965 para o Rio de Janeiro, onde trabalhou em diversas lides editoriais—entre as quais a revista de poesia *José*, que circulou entre 1976 e 1978. Reuniu sua poesia em livros como *Signos/Gnosis* (1970), *Antilogia* (1979), *Obra em dobras* (1988), *A uma incógnita* (1991), *A ficção vida* (1993), *A espreita* (2000) e *A regra secreta* (2002). Ensaísta de interesses muito variados—da poesia aos quadrinhos, do cinema à filosofia—, publicou quatro volumes de textos críticos: *Participação da palavra poética* (1966), *Crítica clandestina* (1986), *Jogos e enganos* (1995) e *Crítica de ouvido* (2003). Tradutor de autores como Stendhal, Octavio Paz, Julio Cortázar e Christian Morgenstern, assinou dois monumentos da tradução literária no Brasil: *Aventuras de Alice no País das Maravilhas & Através do espelho e o que Alice encontrou lá* (Fontana/Summus, 1977) e a *Poesia* de François Villon (Guanabara, 1988). Sebastião Uchoa Leite faleceu no Rio de Janeiro em 27 de novembro de 2003.

SOBRE ESTE LIVRO. *Através do espelho e o que Alice encontrou lá*, São Paulo, Editora 34, 2015 TÍTULO ORIGINAL *Through the Looking-Glass, and What Alice Found There*, 1871 TRADUÇÃO Sebastião Uchoa Leite © Guacira Waldeck, 2015 TRADUÇÃO DE "JAGUADARTE", "RECADO AOS PEIXES" E "DOUBLETS" © Augusto de Campos, 2015 EDIÇÃO Cristina Fino, Samuel Titan Jr. PROJETO GRÁFICO Raul Loureiro PREPARAÇÃO Cristina Fino REVISÃO Iara Fino Silva, Sandra Brazil, Carolina Serra Azul TRATAMENTO DE IMAGEM Jorge Bastos PRODUÇÃO GRÁFICA Acássia Correia IMAGEM DE CAPA detalhe de John Tenniel, "The Shower of Cards", litografia em cores © coleção particular/Bridgeman Images ESTA EDIÇÃO © Editora 34 Ltda., São Paulo; 1ª edição, 2015 (2ª reimpressão, 2020). A reprodução de qualquer folha deste livro é ilegal e configura apropriação indevida dos direitos intelectuais e patrimoniais do autor. A grafia foi atualizada segundo o Acordo Ortográfico da Língua Portuguesa de 1990, que entrou em vigor no Brasil em 2009.

Este livro recebeu o selo de Altamente Recomendável da FNLIJ — Fundação Nacional do Livro Infantil e Juvenil.

CIP—Brasil. Catalogação-na-Fonte
(Sindicato Nacional dos Editores de Livros, RJ, Brasil)

Carroll, Lewis (Charles Lutwidge Dogson), 1832-1898
Através do espelho e o que Alice encontrou lá/
Lewis Carroll; ilustrações de John Tenniel;
tradução e posfácio de Sebastião Uchoa Leite—
São Paulo: Editora 34, 2015 (1ª edição),
2017 (1ª reimpressão), 2020 (2ª reimpressão).
192 p. (Coleção Fábula)

Tradução de: *Through the Looking-Glass,
and What Alice Found There*

ISBN 978-85-7326-596-5

1. Narrativa inglesa. I. Tenniel, John (1820-1914).
II. Leite, Sebastião Uchoa (1935-2003). III. Título.
IV. Série.

CDD–823

TIPOLOGIA Sabon PAPEL Pólen Soft 80g/m² IMPRESSÃO Ipsis Gráfica e Editora,
em agosto de 2020 TIRAGEM 4000

EDITORA 34.

Editora 34 Ltda. Rua Hungria, 592
Jardim Europa CEP 01455-000
São Paulo — SP Brasil
Tel/Fax (11) 3811-6777
www.editora34.com.br